主编 冯胜利

编者 冯 禹 廖灏翔 王秋雨

# COMPREHENSIVE CHINESE

## ADVANCED CHINESE II

# 汉语综合教程 中级下

知人论世

高等教育出版社

HIGHER EDUCATION PRESS

图书在版编目(CIP)数据

汉语综合教程. 中级：知人论世. 下 / 冯胜利主编；
冯禹，廖灏翔，王秋雨编. —北京：高等教育出版社，
2007. 6
ISBN 978-7-04-021667-7

Ⅰ. 汉… Ⅱ. ①冯…②冯…③廖…④王… Ⅲ. 汉语－对
外汉语教学－教材 Ⅳ. H195.4

中国版本图书馆 CIP 数据核字（2007）第 073938 号

| | | | | | | | |
|---|---|---|---|---|---|---|---|
| **总 策 划** | 刘 援 | **策划编辑** | 徐群森 王 丽 | **责任编辑** | 徐群森 | **版式设计** | 高 瓦 |
| **插 图** | 瑞祥天 | **封面设计** | 大象设计 潘 峰 | **责任校对** | 王 丽 罗海萍 张绪峰 | | |
| **责任印制** | 宋克学 | | | | | | |

| | | | |
|---|---|---|---|
| **出版发行** | 高等教育出版社 | **购书热线** | 010-58581118 |
| **社 址** | 北京市西城区德外大街 4 号 | **免费咨询** | 800-810-0598 |
| **邮政编码** | 100011 | **网 址** | http://www.hep.edu.cn |
| **总 机** | 010-58581000 | | http://www.hep.com.cn |
| | | **网上订购** | http://www.landraco.com |
| **经 销** | 蓝色畅想图书发行有限公司 | | http://www.landraco.com.cn |
| **印 刷** | 蓝马彩色印刷中心 | **畅想教育** | http://www.widedu.com |
| **开 本** | 889 × 1194 1/16 | | |
| **印 张** | 15.25 | **版 次** | 2007 年 6 月第 1 版 |
| **字 数** | 350 000 | **印 次** | 2007 年 6 月第 1 次印刷 |

本书如有缺页、倒页、脱页等质量问题，请到所购图书销售部门联系调换。　　ISBN 978-7-04-021667-7

# 本书编写和使用说明

这本三年级教材的文章大多选自中文报刊杂志及互联网，讨论的问题涵盖中国的政治、经济、教育、社会等方面。在语体方面，既有一般性的叙述描写，也有采访形式的记录答问，同时还收录了几位中国重要作家的作品，希望学生能接触到不同类型的口语和书面语体的文章。

本书每课的编排如下：繁体字课文、词汇、简体字课文、句型、注解和作业。考虑到不同背景和专业的学生的需要，词汇、句型、注解及作业都有简体字和繁体字两种版本。

词汇的体例如下：繁体词汇、简体词汇、汉语拼音、词性和英文解释。如该词的繁简一致，简体部分则省略。另外，凡具有明确的书面（正式）语色彩的词语，加有黑色五星符号（★）。具有明显的自然口语色彩的词语，加白色三角符号（△）。个别双音节词汇的某个字下面加了着重号，这是为了表明此单字为双音节的核心词，不但能够单独表示该双音节词的意思，而且它具有再生相关双音节词的造词能力。

句型部分，除了课文的原句之外，每个句型提供至少一个补充例句。原句和补充例句都有英文翻译。

注解包括以下两个部分：第一，一些重大的语法或修辞的总结。一般说来是这篇课文中出现的。第二，重要词语的解释和用法，包括该词容易用错的地方，与其他近义词的区别等。

作业有口头练习和书面练习两个部分。口头练习的问题多基于课文，书面练习的形式包括选择、填空、翻译、写作、补充阅读等等。

| | | | |
|---|---|---|---|
| *a.* | adjective | 形容词 | xíngróngcí |
| (a./n. adjective or noun) | | | |
| *adv.* | adverb | 副词 | fùcí |
| *attr.* | attributive adjective | 非谓形容词 | fēiwèixíngróngcí |
| *aux.* | auxiliary verb | 助动词 | zhùdòngcí |
| *conj.* | conjunction | 连词 | liáncí |
| *interj.* | interjection | 感叹词 | gǎntàncí |
| *m.w.* | measure word | 量词 | liàngcí |
| *m.p.* | modal particle | 语气词 | yǔqìcí |
| *n.* | noun | 名词 | míngcí |
| (n./a. noun or adjective) | | | |
| (n./v. noun or verb) | | | |
| *num.* | numerals | 数词 | shùcí |
| *onom.* | onomatopoeia | 拟声词 | nǐshēngcí |
| *p.n.* | proper name | 专有名词 | zhuānyǒu-míngcí |
| *part.* | particle | 虚词 | xūcí |
| *q.* | colloquial | 口语 | kǒuyǔ |
| *phr.* | phrase | 短语 | duǎnyǔ |
| *prep.* | preposition | 介词 | jiècí |
| *pron.* | pronoun | 代词 | dàicí |
| *p.w.* | place word | 处所词 | chùsuǒcí |
| *t.w.* | time word | 时间词 | shíjiāncí |
| *v.* | verb | 动词 | dòngcí |
| (v./n. verb or noun) | | | |
| *v.c.* | verb-complement | 动词—补语 | dòngcí-bǔyǔ |
| *v.o.* | verb-object | 动词—宾语 | dòngcí-bīnyǔ |
| *Italics* | not import words (usually not frequently used proper names) | 斜体字 | xiétǐzì |
| functional word | | 功能词 | gōngnéngcí |
| disyllabic word | | 双音词 | shuāngyīncí |
| monosyllabic word | | 单音词 | dānyīncí |
| quadrosyllabic temple | | 四字格形式 | sìzìgéxíngshì |
| prosodic word | | 韵律词 | yùnlǜcí |
| ★ | formal | 书面语 | shūmiànyǔ |
| △ | colloquial (very informal) | 口语 | kǒuyǔ |

# 目錄 目录

# 多餘的最後一句話　15
## 多余的最后一句话

我有一個重大的發現，就是當人們發生衝突的時候，根本原因不在於各自說了些什麼，而是在於大家所說的那最後的一句話。沒有這句話，大家都可以很友好地交流。一旦加上了這句話，交談就變成了吵嘴，而且愈演愈烈，最後局面無法收拾。問題在於，這句話的內容常常和大家要說的事情毫不相干，所以，我把它叫做"多餘的最後一句話"。

舉個例子吧。我那天坐公共汽車去辦事，車上人不多，但也沒有空位，有幾個人還站著。一個年輕人，乾乾瘦瘦的，戴個眼鏡，身旁有幾個大包，一看就是剛從外地來的。他站在售票員旁邊，手裏拿著一張地圖認真研究著，看起來有些茫然，估計是有點兒迷路了。

他猶豫了一會兒，很不好意思地問售票員："請問，去頤和園應該在哪兒下車？"

售票員是個短頭髮的小姑娘。她抬頭看了一眼外地小夥兒說："你坐錯方向了，應該到對面往回坐。"

說這些話也沒什麼，坐錯了，小夥兒可以下站下車往回坐。但是售票員還沒說完，她說了那多餘的最後一句話：

"拿著地圖都看不懂，還看什麼啊！"

外地小夥兒可是個有涵養的人，他嘿嘿笑了一笑，把地圖收起來，準備下一站下車。

旁邊有個大爺忍不住了。他對外地小夥兒說："你不用往回坐，再往前坐四站換904也能到。"

要是他說到這兒，那也真不錯，既幫助了別人，也挽回了北京人的形象。可是大爺哪兒能就這麼停住呢，他一定要我有一个重大的发现，就是当人们发生冲突的时候，根本原因不在于各自说了些什么，而是在于大家所说的那最后的一句话。没有这句话，大家都可以很友好地交流。一旦加上了这句话，交谈就变成了吵嘴，而且愈演愈烈，最后局面无法收拾。问题在于，这句话的内容常常和大家要说的事情毫不相干，所以，我把它叫做"多余的最后一句话"。

　　举个例子吧。我那天坐公共汽车去办事，车上人不多，但也没有空位，有几个人还站着。一个年轻人，干干瘦瘦的，戴个眼镜，身旁有几个大包，一看就是刚从外地来的。他站在售票员旁边，手里拿着一张地图认真研究着，看起来有些茫然，估计是有点儿迷路了。

　　他犹豫了一会儿，很不好意思地问售票员："请问，去颐和园应该在哪儿下车？"

　　售票员是个短头发的小姑娘。她抬头看了一眼外地小伙儿说："你坐错方向了，应该到对面往回坐。"

　　说这些话也没什么，坐错了，小伙儿可以下站下车往回坐。但是售票员还没说完，她说了那多余的最后一句话：

　　"拿着地图都看不懂，还看什么啊！"

　　外地小伙儿可是个有涵养的人，他嘿嘿笑了一笑，把地图收起来，准备下一站下车。

　　旁边有个大爷忍不住了。他对外地小伙儿说："你不用往回坐，再往前坐四站换904也能到。"

　　要是他说到这儿，那也真不错，既帮助了别人，也挽回了北京人的形象。可是大爷哪儿能就这么停住呢，他一定要把那多餘的最後一句話說完："現在的年輕人，沒有一個有教養的！"

我心想，大爺這話真是畫蛇添足，車上年輕人好多呢，打擊太大了吧！可不，站在大爺旁邊的一位小姐就忍不住了。

"大爺，不能說年輕人都沒有教養吧，沒有教養的畢竟是少數嘛。"這位小姐穿得挺時髦的，短衣短裙，臉上化著鮮豔的濃妝，頭髮染成火紅色。可是她也忍不住說了那多餘的最後一句話：

"像您這樣看起來挺慈祥，但是一肚子壞水的老人可多了呢！"

沒有人出來批評一下時髦的小姐是不正常的。可不，一個中年的大姐說話了：

"你這個女孩子怎麼能跟老人這麼講話呢？要有點兒禮貌嘛。你對你父母也這麼說話嗎？"

你看這位大姐批評得多好！那位女孩子馬上就不說話了。要是這件事就到這個地方，那也就好了，大家說到這兒也就完了。可是不要忘了，大姐的"多餘的最後一句話"還沒說呢：

"看你那個樣子，肯定不是什麼好女孩！"

後面的事大家就可以想像了。簡單地說，出人命的可能都有。這麼吵著鬧著車很快地就到站了。

車門一開，售票員小姑娘說："都別吵了，該下車的趕快下車吧，別耽誤了自己的事。"當然，她沒忘記她的最後把那多余的最后一句话说完："现在的年轻人，没有一个有教养的！"

我心想，大爷这话真是画蛇添足，车上年轻人好多呢，打击太大了吧！可不，站在大爷旁边的一位小姐就忍不住了。

"大爷，不能说年轻人都没有教养吧，没有教养的毕竟是少数嘛。"这位小姐穿得挺时髦的，短衣短裙，脸上化着鲜艳的浓妆，头发染成火红色。可是她也忍不住说了那多余的最后一句话：

"像您这样看起来挺慈祥，但是一肚子坏水的老人可多了呢！"

没有人出来批评一下时髦的小姐是不正常的。可不，一个中年的大姐说话了：

"你这个女孩子怎么能跟老人这么讲话呢？要有点儿礼貌嘛。你对你父母也这么说话吗？"

你看这位大姐批评得多好！那位女孩子马上就不说话了。要是这件事就到这个地方，那也就好了，大家说到这儿也就完了。可是不要忘了，大姐的"多余的最后一句话"还没说呢：

"看你那个样子，肯定不是什么好女孩！"

后面的事大家就可以想象了。简单地说，出人命的可能都有。这么吵着闹着车很快地就到站了。

车门一开，售票员小姑娘说："都别吵了，该下车的赶快下车吧，别耽误了自己的事。"当然，她没忘记她的最后的一句話：

　　“你們要吵統統都給我下車去吵，不下去我車就不走了！煩不煩啊！”

　　煩不煩？當然煩！不僅她煩，所有的乘客都煩了！整個車廂像炸了窩一樣，罵售票員的，罵外地小夥兒的，罵時髦小姐的，罵中年大姐的，真是人聲鼎沸，熱鬧極了！

　　那個外地小夥兒一直沒有說話，但是他真的受不了了，他大叫一聲：

　　“大家都別吵了！都是我的錯。是我自己不好，沒有看好地圖，讓大家都跟著生氣！大家就算給我面子，都別吵了，行嗎？”

　　聽到他這麼說，車上的人當然都不好意思再吵了，車廂很快地安靜下來。但是你們不要忘了，外地小夥兒的“多餘的最後一句話”還沒說呢：

　　“早知道北京人都這麼不講理，我就不來了！”

　　想知道事情最後的結果嗎？

　　我那天的事情沒有辦成。我先到派出所錄了口供，然後到了醫院外科。我頭上的傷是被售票員小姑娘用票夾子給砸的。你們不要以為我和誰打了架，我是去勸架。我叫大家都冷靜一點兒，有話好好說，沒什麼大事。

　　我的多餘的最後一句話是這麼說的：

　　“不就是售票員說話不得體嗎？你們就當她是個二百五，和她計較什麼！”

的一句话：

"你们要吵统统都给我下车去吵，不下去我车就不走了！烦不烦啊！"

烦不烦？当然烦！不仅她烦，所有的乘客都烦了！整个车厢像炸了窝一样，骂售票员的，骂外地小伙儿的，骂时髦小姐的，骂中年大姐的，真是人声鼎沸，热闹极了！

那个外地小伙儿一直没有说话，但是他真的受不了了，他大叫一声：

"大家都别吵了！都是我的错。是我自己不好，没有看好地图，让大家都跟着生气！大家就算给我面子，都别吵了，行吗？"

听到他这么说，车上的人当然都不好意思再吵了，车厢很快地安静下来。但是你们不要忘了，外地小伙儿的"多余的最后一句话"还没说呢：

"早知道北京人都这么不讲理，我就不来了！"

想知道事情最后的结果吗？

我那天的事情没有办成。我先到派出所录了口供，然后到了医院外科。我头上的伤是被售票员小姑娘用票夹子砸的。你们不要以为我和谁打了架，我是去劝架。我叫大家都冷静一点儿，有话好好说，没什么大事。

我的多余的最后一句话是这么说的：

"不就是售票员说话不得体吗？你们就当她是个二百五，和她计较什么！"

| 多余 | 多餘 | duōyú | a. | redundant, unnecessary |
|---|---|---|---|---|
| 重大 | | zhòngdà | a. | big and important |
| 根本 | | gēnběn | a. | fundamental, basic |
| 原因 | | yuányīn | n. | cause, reason |
| 在于★ | 在於 | zàiyú | v. | lie in, rest with, depend on |
| 友好 | | yǒuhǎo | a. | friendly, kind |
| 交流 | | jiāoliú | v. | exchange, communicate |
| 一旦 | | yīdàn | adv. | once |
| 交谈 | 交談 | jiāotán | n. | (formal usage) talk |
| 吵嘴 | | chǎozuǐ | n./v. | quarrel, tiff |
| 愈演愈烈★ | | yùyǎnyùliè | v. | become worse and worse |
| 收拾局面 | | shōu·shi júmiàn | v. | put an (orderly) end to the situation |
| 毫不相干★ | | háobùxiānggān | a. | totally unrelated |
| 办 | 辦 | bàn | v. | deal with, cope with |
| 空位 | 空位 | kōngwèi | n. | empty seat |
| 干 | 乾 | gān | a. | slim, skinny |
| 外地 | | wàidì | n. | other places |
| 售票员 | 售票員 | shòupiàoyuán | n. | bus ticket seller (inside the bus), bus conductor |
| 地图 | 地圖 | dìtú | n. | map |
| 估计△ | 估計 | gūjì | v. | guess, estimate |
| 迷路 | | mílù | v. | get lost |
| 犹豫 | 猶豫 | yóuyù | v. | hesitate |
| 颐和园 | 頤和園 | Yíhéyuán | n. | the Summer Palace |
| 姑娘△ | | gū·niang | n. | (informal) young girl |
| 抬头 | 抬頭 | táitóu | v. | lift (one's) head |

| | | | | |
|---|---|---|---|---|
| 小伙儿△ | 小夥兒 | xiǎohuǒr | n. | (informal) young man |
| 对面 | 對面 | duìmiàn | n. | opposite side, across the road |
| 回 | | huí | n. | back |
| 站 | | zhàn | n. | (bus) stop |
| 有涵养 | 有涵養 | yǒuhányǎng | a. | civilized, cultured, able to exercise self-control |
| 大爷△ | 大爺 | dà·ye | n. | (informal) old man |
| 忍不住 | | rěnbùzhù | v. | can't hold it, can't endure, can't help |
| 挽回 | | wǎnhuí | v. | save back |
| 形象 | | xíngxiàng | n. | image |
| 有教养 | 有教養 | yǒujiàoyǎng | a. | well-educated, well-behaved, refined |
| 打击 | 打擊 | dǎjī | n./v. | blow, attack |
| 小姐 | | xiǎojiě | n. | young lady |
| 毕竟 | 畢竟 | bìjìng | adv. | after all |
| 少数 | 少數 | shǎoshù | n. | small number, minority |
| 时髦 | 時髦 | shímáo | a. | fashionable |
| 裙子 | | qún·zi | n. | skirt |
| 鲜艳 | 鮮艷 | xiānyàn | a. | fresh and bright |
| 化妆 | 化妝 | huàzhuāng | v. | put on makeup |
| 浓 | 濃 | nóng | a. | thick, heavy, dense |
| 染 | | rǎn | v. | dye |
| 慈祥 | | cíxiáng | a. | kind, benevolent |
| 坏水△ | 壞水 | huàishuǐ | n. | bad water; evil ideas |
| 批评 | 批評 | pīpíng | v. | criticize |
| 正常 | | zhèngcháng | a. | normal |

| 中年 | | zhōngnián | a. | middle-aged |
|---|---|---|---|---|
| 大姐△ | | dàjiě | n. | (informal) middle-aged woman |
| 礼貌 | 禮貌 | lǐmào | n. | courtesy, politeness, manners |
| 肯定 | | kěndìng | v. | I am sure that… , I am positive that … |
| 出人命 | | chūrénmìng | v. | cause somebody to lose his or her life |
| 耽误 | 耽誤 | dān·wu | v. | delay, hold up |
| 统统 | 統統 | tǒngtǒng | adv. | entirely |
| 烦 | 煩 | fán | v. | be vexed, irritated, annoyed |
| 乘客 | | chéngkè | n. | passenger |
| 车厢 | 車廂 | chēxiāng | n. | inside of a bus, car of a train |
| 炸窝 | 炸窩 | zhàwō | v. | explode, flare up, burst into chaos |
| 人声鼎沸★ | 人聲鼎沸 | rénshēngdǐngfèi | phr. | a hubbub of voices |
| 受不了 | | shòubùliǎo | v. | can't stand/bear it |
| 面子 | | miàn·zi | n. | face, reputation |
| 讲理 | 講理 | jiǎnglǐ | a. | rational, reasonable |
| 结果 | 結果 | jiéguǒ | n. | result |
| 派出所 | | pàichūsuǒ | n. | police station |
| 录 | 錄 | lù | v. | record |
| 口供 | | kǒugōng | n. | statement or testimony made for police investigation |
| 外科 | | wàikē | n. | surgical department |
| 伤 | 傷 | shāng | n. | wound, injury, cut |
| 票夹子 | 票夾子 | piàojiā·zi | n. | (bus conductor's) ticket folder |
| 砸 | | zá | v. | knock forcefully, smash |
| 打架 | | dǎjià | v. | fist-fight |
| 劝架 | 勸架 | quànjià | v. | mediate a fight |

| 冷静 | 冷靜 | lěngjìng | a. | levelheaded, calm |
|---|---|---|---|---|
| 得体 | 得體 | détǐ | a. | appropriate |
| 当 | 當 | dāng | v. | treat, see as |
| 二百五△ | | èrbǎiwǔ | n. | a stupid person, a lunatic |
| 计较 | 計較 | jìjiào | v. | haggle over, fuss about, take seriously |

# Grammar Notes

The Usage of 可

In colloquial Chinese, "可", as an conjunction, can be used as an abbreviation for "可是":

⇨ 可(是)大爺哪兒能就這麼打住呢……
可(是)大爷哪儿能就这么打住呢……

⇨ 可(是)不要忘了，大姐的"多餘的最後一句話"還沒說呢。
可(是)不要忘了，大姐的"多余的最后一句话"还没说呢。

Additionally, "可" can be used as an adverb before a verb or adjective to express strong assertion, especially in colloquial style:

⇨ 一肚子壞水兒的可多了呢!
一肚子坏水儿的可多了呢!

⇨ 外地小夥兒可是個有涵養的人。
外地小伙儿可是个有涵养的人。

Also, in spoken Chinese, "可" and "不" together can express agreement, which means "isn't it?" and can be seen as an abbreviation for 可不是嗎? /可不是吗?

⇨ 可不，站在大爺旁邊的一位小姐就忍不住了。
可不，站在大爷旁边的一位小姐就忍不住了。

⇨ 可不，一個中年的大姐說話了……
可不，一个中年的大姐说话了……

⇨ A: 咱們是不是應該考慮一下今年夏天的計畫了?
B: 可不是嗎? 一轉眼都已經三月了。
A: 咱们是不是应该考虑一下今年夏天的计划了?
B: 可不是吗? 一转眼都已经三月了。

# Topic for Discussion

· 請你說說你的多餘的一句話的經驗。
請你说说你的多余的一句话的经验。

# Sentence Patterns

**❶** Fact (a problem, a situation) 原因不在于 NP1，而是在于 NP2

(Fact, the cause does not lie in NP1, but in NP2)

例 人们会发生冲突，原因不在于各自说了些什么，而是在于最后说的那句话。

The cause of conflicts between people does not lie in what they each said, but in the last thing they said.

例 他们夫妻会离婚，原因不在于第三者插足，而是在于两个人的思想追求已经不一样了。

The couple's divorce is not due to the intrusion of any third party, but rather due to the fact that their thoughts and pursuits have diverged.

**❷** 一旦 S1, S2     (Once S1, S2)

In this pattern, S2 often goes with 就.

例 一旦你说了多余的那句话，局面就会变得无法收拾。

Once you have said that extra sentence, the situation will become unmanageable.

例 有时候你得承认，一旦作了决定，就很难改变。

Sometimes you have to admit that it is very difficult to change once you have made a decision.

**3** Location + V + 着 + NP

例 小伙儿的手里拿着一张地图。

The young man had a map in his hand.

例 时髦的小姐脸上化着鲜艳的浓妆。

The fashionable young lady's face was freshly and heavily made-up.

**4** 可    refer to "Grammar Notes"

(1) strong assertion

例 外地小伙儿可是个有涵养的人。

The young man from out of town is a civilized person indeed.

(2) abbreviation for 可是

例 可是大爷哪儿能就这么打住呢！

But how could the old gentleman stop right there?

(3) agreement 可不

例 可不，一位大姐说话了。

See, a middle-aged woman spoke up.

**5** 忍不住

There are two usages of 忍不住. One is used as a predicate, which means "cannot hold it, cannot endure", and the other is used as an auxiliary, which means "cannot help but."

(1) As a prediate

例 听到售票员小姐这么说，旁边有个大爷忍不住了。

Hearing the young ticketing lady saying so, an old gentleman next to her couldn't hold [his tongue] anymore.

(2) As an aux.

例 讲了那句话以后，那位时髦的小姐也忍不住讲了那多余的一句话。

Having said that, the fashionable young lady also couldn't restrain herself from saying that extra line.

**6** Topic 既 comment 1, 也 comment 2　　(S both comment 1 and comment 2)

例 大爷这样做既帮助了别人，也挽回了北京人的形象。

In so doing, the old gentleman both helped another person and saved the image of Beijing's people.

例 我认为一个大学生应该既会玩也会念书，而不是只玩不念书。

I think that a college student should know both how to play and how to study, instead of purely playing and not studying.

**7** 挺 adj 的　　(colloquial usage for " 很 adj; very adj ")

例 这位年轻的小姐穿得挺时髦的。

This young lady is dressed quite fashionably.

例 中国近几年来的经济发展得挺好的，我感到非常乐观。

China's economy has developed very well in the past few years; I am very optimistic.

**8** Topic ＋统统＋ comment　　(Topic comment entirely, completely, all)

This adverb is informal in tone and often implies an attitude of impatience if the subject is a person.

例 你们要吵统统都下车去吵，别在车上吵。

If you want to argue, get off the bus and argue, all of you; don't argue on the bus.

例 我的钱包昨天被偷了，里面的东西统统不见了。

My wallet was stolen yesterday, everything that was in it was gone.

**9** 早知道 S1，S2　　(If I had known S1 earlier, S2)

In this pattern, S2 often goes with 就.

例 早知道北京人都这么不讲理，我就不来了！

If I had known earlier that Beijingers are all so unreasonable, I wouldn't have come at all.

例 早知道今天的考试这么难，昨天我就应该好好准备。

If I had known that today's exam would be so difficult, I would have prepared more carefully yesterday.

# Writing Tasks

I. Translate the following into English, paying special attention to the meaning of 可 in each sentence:

1. 要是他说到这儿就完了，那还真不错，可是大爷哪儿能就这么停住呢？

2. 没有人出来批评一下时髦的小姐是不正常的。 可不，一个中年的大姐说话了。

3. 像您这样看起来挺慈祥，但是一肚子坏水儿的老人可多了呢！

II. Translate the following into Chinese.

1. Once you have said a wrong word, it will be very difficult to turn around the bad impression you have left in people's minds.

2. What he said may be inappropriate, but he is your father after all, so you shouldn't have talked to him that way.

3. If the bus conductor had known that the last sentence she said to the young man would create such havoc, she wouldn't have said it in the first place.

III. Use the words listed below to make 3 sentences. Each sentence must have at least 3 new words. Try to use as many terms as you can.

| | | | | | | | | | | | |
|---|---|---|---|---|---|---|---|---|---|---|---|
| 多余 | 重大 | 根本 | 原因 | 在于 | 友好 | 交流 | 一旦 | 估计 | 犹豫 | 挽回 | 形象 |
| 打击 | 毕竟 | 少数 | 正常 | 礼貌 | 肯定 | 耽误 | 统统 | 结果 | 冷静 | 得体 | 计较 |
| 有涵养 | 忍不住 | 有教养 | 受不了 | 毫不相干 | | | | | | | |

**例句**

**Example:** 现在不懂礼貌、没有教养的年轻人毕竟是少数。

# 中國的經商熱①
## 中国的经商热 16

---

① 本文编者有改动。

# 經商熱

上世紀八十年代末，九十年代初，中國曾出現一股經商熱，有人戲說是"十億人民九億商"，這雖然是一種誇張，但是經商的人確實越來越多，商業越來越發達。

在秦代以前，商業曾經被看得非常重要，商人的社會地位也很高。但是，秦代以後，中國的皇帝們擔心商業會破壞社會的安定，所以大力鼓勵農業的發展，而對商業活動加以限制。於是，商人成了一種不光彩的職業，社會地位很低。例如，漢代規定，商人不可以做官，也不可以參與政治，甚至不能坐馬車，只能坐牛車。後來雖然經過了很多變化，但是商人的地位一直不高。中華人民共和國建立初期，學習蘇聯的經驗，把經濟的重點放在重工業，商業沒有受到重視。在文化大革命中，私營企業、服務業以及農民的商業活動，都被說成是"資本主義的尾巴"，統統割掉。

改革開放以後，中國人好像在一個晚上就懂了市場經濟的道理。商業，特別是私營企業和服務業，以前所未有的速度發展。一條大街本來冷冷清清，只有一家小飯館，現在一下子冒出來十幾家餐廳、酒吧和二十幾家服裝店。原來找不到工作，在街上閒逛的年輕人，現在搖身一變成了私營企業的老闆。他們買了汽車和手機，成了"大款"。原來在國營企業工作的人紛紛"下海"，開始做生意。有些暫時還沒下海的，也幹起了第二職業，下班後到街上擺地攤。

這股商潮也波及到大學校園。不用說大學生們利用課餘時間打工，教授們也在想辦法多賺錢。不少經濟系的教授當

## 经商热

上世纪八十年代末，九十年代初，中国曾出现一股经商热，有人戏说是"十亿人民九亿商"，这虽然是一种夸张，但是经商的人确实越来越多，商业越来越发达。

在秦代以前，商业曾经被看得非常重要，商人的社会地位也很高。但是，秦代以后，中国的皇帝们担心商业会破坏社会的安定，所以大力鼓励农业的发展，而对商业活动加以限制。于是，商人成了一种不光彩的职业，社会地位很低。例如，汉代规定，商人不可以作官，也不可以参与政治，甚至不能坐马车，只能坐牛车。后来虽然经过了很多变化，但是商人的地位一直不高。中华人民共和国建立初期，学习苏联的经验，把经济的重点放在重工业，商业没有受到重视。在文化大革命中，私营企业、服务业以及农民的商业活动，都被说成是"资本主义的尾巴"，统统割掉。

改放开放以后，中国人好像在一个晚上就懂了市场经济的道理。商业，特别是私营企业和服务业，以前所未有的速度发展。一条大街本来冷冷清清，只有一家小饭馆，现在一下子冒出来十几家餐厅、酒吧和二十几家服装店。原来找不到工作，在街上闲逛的年轻人，现在摇身一变成了私营企业的老板。他们买了汽车和手机，成了"大款"。原来在国营企业工作的人纷纷"下海"，开始做生意。有些暂时还没下海的，也干起了第二职业，下班后到街上摆地摊。

这股商潮也波及到大学校园。不用说大学生们利用课余时间打工，教授们也在想办法多赚钱。不少经济系的教授当了企業的顧問，有的理工科的教授賣自己的發明，還有一些知識份子徹底改行，成為所謂的"儒商"，有的研究生則靠自己的高智商來玩股票，整天關心市場的行情，學問好像成了副業。

## "皮包公司"

如果你在火車或者飛機上碰到一個素不相識的中國人，打招呼以後他的習慣動作就是掏出自己的名片送給你。名片常常是一面中文，一面英文，上面印著他的各種頭銜：某某公司經理或者董事長。時間長了，你就不會感到奇怪，和世界上不少地區一樣這些經理和董事長的公司原來是一種"皮包公司"。雖然這種公司連一間辦公室都沒有，但是它們卻常常有一個大得嚇人的名字，例如："太平洋公司"、"環球企業"等等。

"皮包公司"的業務就是"倒"。知道市場上某個東西緊缺，打個電話通過關係把一批貨買下來，再打個電話，以高價賣出去。只要兩個電話，就可以賺到幾萬、甚至幾十萬。不少年輕人最崇拜的就是這種輕輕鬆鬆賺大錢的"倒爺"。他們認為，靠踏踏實實的努力來賺錢的是大傻瓜。

賺錢要賺得快，賺得輕鬆，這是這些"倒爺"們的共識。沒有多少人願意投資生產，也少有人願意投資研究和設計。在上海的一個新技術拍賣會上，一百項新的生產技術最後只賣出一項，價格才一萬塊。

相反地，有些商人願意出高價買一個吉利的電話號碼。

了企业的顾问，有的理工科的教授卖自己的发明，还有一些知识分子彻底改行，成为所谓的"儒商"。有的研究生则靠自己的高智商来玩股票，整天关心市场的行情，学问好像成了副业。

## "皮包公司"

如果你在火车或者飞机上碰到一个素不相识的中国人，打招呼以后他的习惯动作就是掏出自己的名片送给你。名片常常是一面中文，一面英文，上面印着他的各种头衔：某某公司经理或者董事长。时间长了，你就不会感到奇怪，和世界上不少地区一样这些经理和董事长的公司原来是一种"皮包公司"。虽然这种公司连一间办公室都没有，但是它们却常常有一个大得吓人的名字，例如："太平洋公司"、"环球企业"等等。

"皮包公司"的业务就是"倒"。知道市场上某个东西紧缺，打个电话通过关系把一批货买下来，再打个电话，以高价卖出去。只要两个电话，就可以赚到几万、甚至几十万。不少年轻人最崇拜的就是这种轻轻松松赚大钱的"倒爷"。他们认为，靠踏踏实实的努力来赚钱的是大傻瓜。

赚钱要赚得快，赚得轻松，这是这些"倒爷"们的共识。没有多少人愿意投资生产，也少有人愿意投资研究和设计。在上海的一个新技术拍卖会上，一百项新的生产技术最后只卖出一项，价格才一万块。

相反地，有些商人愿意出高价买一个吉利的电话号码。

重慶市的一個電話號碼888－8888，最後以二十多萬的天價被一個公司買走。

## 無商不奸

中國有句老話，叫做"無商不奸"，這大概和中國兩千年歧視商人的傳統有關係。其實，過去有些商人還是相當講信用，講商業道德的，但是在這股商潮中有的商人卻靠騙來賺錢，把"無商不奸"作為經商的成功之道。

改革開放以前，雖然商品不多，但是讓人放心。改革開放以後，假貨越來越多。最令人氣憤的是假藥，有的吃了治不好病，有的使病情更嚴重。至於假酒、假煙、假名牌等，也並不少見。有個笑話說，一個中學生考試考得不好，他一時想不開，把家裏剛剛買的一盒老鼠藥都吃了。他爸爸發現以後，趕緊送他去醫院。大夫檢查的結果一切正常，原來，老鼠藥是假的，根本沒有毒性。這位幸運的爸爸後來還寫了一封感謝信給賣老鼠藥的商店。

商業離不開廣告。中國報紙和電視中的廣告越來越多，但是有些廣告是假的，特別是郵購廣告。例如，廣告說有一種減肥藥，一個月可以使你減少體重10公斤，而且沒有任何副作用，無效退款。但是等到你把錢寄過去以後，卻一直沒有收到東西。到郵局去查，才發現這個公司已經撤銷了。

## 收回扣

有一位外國遊客想買中國的工藝品，導遊向她推薦了一重庆市的一个电话号码888—8888，最后以二十多万的天价被一个公司买走。

## 无商不奸

中国有句老话，叫做"无商不奸"，这大概和中国两千年歧视商人的传统有关系。其实，过去不少商人还是相当讲信用，讲商业道德的，但是在这股商潮中有的商人却靠骗来赚钱，把"无商不奸"作为经商的成功之道。

改革开放以前，虽然商品不多，但是让人放心。改革开放以后，假货越来越多。最令人气愤的是假药，有的吃了治不好病，有的使病情更严重。至于假酒、假烟、假名牌等，也并不少见。有个笑话说，一个中学生考试考得不好，他一时想不开，把家里刚刚买的一盒老鼠药都吃了。他爸爸发现以后，赶紧送他去医院。大夫检查的结果一切正常，原来，老鼠药是假的，根本没有毒性。这位幸运的爸爸后来还写了一封感谢信给卖老鼠药的商店。

商业离不开广告。中国报纸和电视中的广告越来越多，但是有些广告是假的，特别是邮购广告。例如，广告说有一种减肥药，一个月可以使你减少体重10公斤，而且没有任何副作用，无效退款。但是等到你把钱寄过去以后，却一直没有收到东西。到邮局去查，才发现这个公司已经撤销了。

## 收 回 扣

有一位外国游客想买中国的工艺品，导游向她推荐了一家商店。到了這家商店以後，這位細心的遊客發現，這裏的商品比別的商店貴了一倍以上。那為什麼導遊要介紹這家商店呢？很簡單，因為他接受了商店的回扣。

另外一個例子。一個工廠需要買一台新機器，負責購買機器的副廠長最後選了一種質量一般、但是價格並不便宜的產品。為什麼？因為回扣最多。買機器的錢是工廠的，但是回扣卻進了這位副廠長自己的腰包，有時高達20%。

所以有些外國企業以為，在中國收回扣是一條潛規則。

隨著中國經濟和社會的發展，這些現像雖然在逐步克服，但還沒有得到根除。

家商店。到了这家商店以后，这位细心的游客发现，这里的商品比别的商店贵了一倍以上。那为什么导游要介绍这家商店呢？很简单，因为他接受了商店的回扣。

另外一个例子。一个工厂需要买一台新机器，负责购买机器的副厂长最后选了一种质量一般、但是价格并不便宜的产品。为什么？因为回扣最多。买机器的钱是工厂的，但是回扣却进了这位副厂长自己的腰包，有时高达20%。

所以有些外国企业以为，在中国收回扣是一条潜规则。

随着中国经济和社会的发展，这些现象虽然在逐步克服，但是还没有得到根除。

# New Words

| | | | | |
|---|---|---|---|---|
| 经商★ | 經商 | jīngshāng | v. | engage in commerce |
| 亿 | 億 | yì | m.w. | one hundred million |
| 标题 | 標題 | biāotí | n. | heading, title |
| 夸张 | 誇張 | kuāzhāng | v. | exaggerate |
| 商人 | | shāngrén | n. | businessman |
| 商业 | 商業 | shāngyè | n. | commerce |
| 秦代 | | Qíndài | n. | the Qin dynasty (221-206 B.C.) |
| 地位 | | dìwèi | n. | status |
| 皇帝 | | huángdì | n. | emperor |
| 安定 | | āndìng | n./a. | stability; stable |
| 大力 | | dàlì | adv. | energetically, vigorously |
| 鼓励 | 鼓勵 | gǔlì | v./n. | encourage; encouragement |
| 农业 | 農業 | nóngyè | n. | agriculture |
| 限制 | | xiànzhì | n./v. | restriction; restrict, limit |
| 不光彩 | | bùguāngcǎi | a. | disgraceful |
| 职业 | 職業 | zhíyè | n. | occupation |
| 汉代 | 漢代 | Hàndài | n. | the Han dynasty (206 B.C.-220 A.D.) |
| 作官 | 做官 | zuòguān | v. | be an official |
| 参与 | 參與 | cānyù | v. | participate |
| 建立 | | jiànlì | v. | establish |
| 重点 | 重點 | zhòngdiǎn | n. | important point, focus |
| 重工业 | 重工業 | zhònggōngyè | n. | heavy industry |
| 重视 | 重視 | zhòngshì | n./v. | value, attention; value |
| 私营 | 私營 | sīyíng | a. | privately managed |
| 企业 | 企業 | qǐyè | n. | enterprise, company |

| | | | | |
|---|---|---|---|---|
| 服务业 | 服務業 | fúwùyè | n. | service industry |
| 农民 | 農民 | nóngmín | n. | farmer, peasant |
| 资本 | 資本 | zīběn | n. | capital |
| 资本主义 | 資本主義 | zīběnzhǔyì | n. | capitalism |
| 尾巴 | | wěi·ba | n. | tail |
| 割掉 | | gēdiào | v. | cut out |
| 真理 | | zhēnlǐ | n. | truth |
| 以……的速度 | | yǐ…·de sùdù | phr. | at … speed, at the speed of … |
| 前所未有★ | | qiánsuǒwèiyǒu | a. | unprecedented |
| 冷冷清清 | | lěnglěng qīngqīng | a. | cold and cheerless |
| 闲逛 | 閒逛 | xiánguàng | v. | meander |
| 摇身一变★ | 搖身一變 | yáoshēnyībiàn | v. | change one's identity suddenly |
| 大款△ | | dàkuǎn | n. | (SL) millionaire |
| 原来 | 原來 | yuánlái | adv. | originally; it turns out to be that… |
| 国营企业 | 國營企業 | guóyíngqǐyè | n. | state-owned enterprise |
| 纷纷 | 紛紛 | fēnfēn | adv. | one after another |
| 生意 | | shēngyì | n. | business |
| 暂时 | 暫時 | zànshí | adv. | temporarily, for the time being |
| 下班 | | xiàbān | v. | get off work |
| 摆地摊 | 擺地攤 | bǎidìtān | v. | hawk goods on the street |
| 股 | | gǔ | m.w. | for thends |
| 商潮 | | shāngcháo | n. | commercial tide |
| 顾问 | 顧問 | gùwèn | n. | consultant |
| 发明 | 發明 | fāmíng | n./v. | inventioni; invent |
| 知识分子 | 知識份子 | zhī·shifēnzǐ | n. | the intellectuals |

| 彻底 | 徹底 | chèdǐ | a. | complete, thorough |
|---|---|---|---|---|
| 儒商 | | rúshāng | n. | merchant scholar |
| 靠 | | kào | v. | count on, depend on |
| 智商 | | zhìshāng | n. | IQ |
| 关心 | 關心 | guānxīn | v. | care about |
| 副业 | 副業 | fùyè | n. | side job |
| 名片 | | míngpiàn | n. | business card, name card |
| 皮包公司△ | | píbāogōngsī | n. | a company without fixed assets |
| 碰到 | | pèngdào | v. | run into, bump into |
| 素不相识★ | 素不相識 | sùbùxiāngshí | v. | don't know each other |
| 习惯 | 習慣 | xíguàn | a. | habitual |
| 掏 | | tāo | v. | take out (from one's pocket) |
| 头衔 | 頭銜 | tóuxián | n. | title |
| 环球 | 環球 | huánqiú | a. | global |
| 倒 | | dǎo | v. | act as a middleman |
| 紧缺 | 緊缺 | jǐnquē | a. | (goods) in great demand |
| 批 | | pī | m.w. | for batches, products, lots |
| 高价 | 高價 | gāojià | n. | high price |
| 崇拜 | | chóngbài | v./n. | admire, worship (not religiously) |
| 轻松 | 輕鬆 | qīngsōng | a. | in an easy and effortless way |
| 倒爷△ | 倒爺 | dǎoyé | n. | (SL) self-made man; one rich through business acumen. "Bit shot." |
| 踏实 | 踏實 | tā·shi | a. | steadfast; (literally) plant one's feet on solid ground - do a job honestly and with dedication |
| 傻瓜 | | shǎguā | n. | fool |

| 共识 | 共識 | gòngshí | n. | consensus |
|---|---|---|---|---|
| 生产 | 生產 | shēngchǎn | n./v. | production; produce |
| 设计 | 設計 | shèjì | v./n. | design |
| 技术 | 技術 | jìshù | n. | technique, skill |
| 拍卖 | 拍賣 | pāimài | v. | auction |
| 项 | 項 | xiàng | m.w. | for items |
| 价格 | 價格 | jiàgé | n. | price |
| 相反地 | | xiāngfǎn·de | adv. | on the contrary, in contrast |
| 吉利 | | jílì | a. | auspicious |
| 重庆 | 重慶 | Chóngqìng | p.n. | a city in Southwest China |
| 天价 | 天價 | tiānjià | n. | unreasonably high price |
| 无商不奸★ | 無商不奸 | wúshāngbùjiān | phr. | Literally, "no merchant is not tricky and sly." Namely, "all merchants are tricky and sly." |
| 歧视 | 歧視 | qíshì | v./n. | discriminate; discrimination |
| 讲 | 講 | jiǎng | v. | value |
| 信用 | | xìnyòng | n. | trust, credit |
| 原则 | 原則 | yuánzé | n. | principle |
| 商品 | | shāngpǐn | n. | merchandise, commodity |
| 骗 | 騙 | piàn | n./v. | cheating; cheat |
| 放心 | | fàngxīn | v. | rest assured |
| 假 | | jiǎ | a. | (prefix) fake |
| 假货 | 假貨 | jiǎhuò | n. | fake products |
| 气愤 | 氣憤 | qìfèn | a. | angry, irritating |
| 至于 | 至於 | zhìyú | conj. | as for |
| 一时 | 一時 | yīshí | adv. | temporarily, momentarily |

| 想不开 | 想不开 | xiǎngbùkāi | v. | don't think it through |
|---|---|---|---|---|
| 盒 | | hé | m.w. | for boxes |
| 老鼠药 | 老鼠藥 | lǎoshǔyào | n. | raticide |
| 赶紧 | 趕緊 | gǎnjǐn | adv. | hurriedly |
| 检查 | 檢查 | jiǎnchá | n./v. | examination; check, examine |
| 毒性 | | dúxìng | n. | toxicity |
| 幸运 | 幸運 | xìngyùn | a. | lucky |
| 感谢信 | 感謝信 | gǎnxièxìn | n. | a thank-you letter |
| 离开 | 離開 | líkāi | v. | leave, depart |
| 邮购 | 郵購 | yóugòu | n. | mail order |
| 减肥药 | 減肥藥 | jiǎnféiyào | n. | weight-loss drug |
| 减少 | 減少 | jiǎnshǎo | v. | lose |
| 副作用 | | fùzuòyòng | n. | side effect |
| 无效退款★ | 無效退款 | wúxiàotuìkuǎn | phr. | refundable if not effective |
| 撤销 | 撤銷 | chèxiāo | v. | dissolve, pull out |
| 回扣 | | huíkòu | n. | illegal commission |
| 游客 | 遊客 | yóukè | n. | tourist |
| 工艺品 | 工藝品 | gōngyìpǐn | n. | arts and crafts |
| 导游 | 導遊 | dǎoyóu | n. | tour guide |
| 商店 | | shāngdiàn | n. | shop, store |
| 细心 | 細心 | xìxīn | a. | careful, attentive |
| 接受 | | jiēshòu | v. | accept |
| 机器 | 機器 | jīqì | n. | machine |
| 购买 | 購買 | gòumǎi | v. | purchase |
| 副 | | fù | a. | (prefix) vice- |

| | | | | |
|---|---|---|---|---|
| 厂长 | 廠長 | chǎngzhǎng | *n.* | factory manager |
| 产品 | 產品 | chǎnpǐn | *n.* | product |
| 腰包 | | yāobāo | *n.* | wallet, fanny pack |
| 高达 | 高達 | gāodá | *v.* | reach as high as…, up to |

# Informal Speech

We have learned the 被 construction in which 被 marks the passive voice. The agent of the action is placed between 被 and the verb. For example, 小王被壞人打傷了 / 小王被坏人打伤了. With the use of 被, we can still tell if the subject of the sentence is the doer or the receiver of the action even if the agent is not explicitly mentioned. For example, 小王被打傷了 / 小王被打伤了. Clearly, it is not the case that Xiao Wang was the person who beat somebody else, but that he was the person who got beaten, although we do not know who beat him. However, 被 is not always used in Chinese passive sentences. Very often, the passive voice in Chinese is contextually established rather than explicitly marked, especially in cases where the agent of the action need not be identified, or is difficult to specify. The following are some more examples:

⇨ 一百項新的生產技術最後只賣出一項。　一百项新的生产技术最后只卖出一项。

⇨ 那間房子賣給了一個台灣來的商人。　那间房子卖给了一个台湾来的商人。

⇨ 她的那盤革命歌曲錄音帶借給王剛了。　她的那盘革命歌曲录音带借给王刚了。

Note that the 被 construction is normally used when the action is the focus of the message. If the sentence focuses on the identification of the doer of the action, 是……的 pattern is used.

⇨ 那本書是她的老師寫的。（＊那本書是被她的老師寫的。）
　那本书是她的老师写的。（＊那本书是被她的老师写的。）

⇨ 造紙術是中國漢朝人發明的。（＊造紙術是被中國漢朝人發明的。）
　造纸术是中国汉朝人发明的。（＊造纸术是被中国汉朝人发明的。）

# 句型

# Sentence Patterns

**① Sb 对 NP 加以限制**    (Sb put a restraint/restriction on NP)

例 以前，中国的皇帝对商业加以限制，因为担心商业会破坏社会安定。

In the past, Chinese emperors put restraints on commerce because they were worried that it would disrupt social stability.

例 过去，中国在实行计划经济时，对私营企业加以限制。

Chinese government put restrictions on private enterprises during the period of planned economy n the past.

**② Sb 把 NP1 的重点放在 NP2 (上)**    (Sb put the emphasis/focus(of NP1) on NP2)

例 50 年代，中国把经济的重点放在重工业（上）。

In the 1950s, China put the economic focus on heavy industry.

例 对于明天的考试，你应该把准备的重点放在句型和语法（上）。

In regard to tomorrow's exam, you should give emphasis to sentence patterns and grammar in your preparation.

**③ NP 受到 (Sb 的) 重视**    (NP receive (Sb's) attentetion/focus.)

例 在改革开放以前，商业没有受到应有的重视。

Before reforming and opening-up, commerce didn't receive serious attention.

例 在中国的高等教育，文科并没有受到学校的重视。

In China's higher education, the humanities did not receive serious attention in the schools.

**④ NP1，特别是NP2，VP**    (NP1, especially NP2, VP)

In this pattern, NP2 is a sub-categorization of NP1.

例 改革开放以后，商业，特别是服务业，以前所未有的速度发展。

After the reform and the opening up, commerce, especially the service industry, developed at an unprecedented speed.

例 去了中国以后，我的中文，特别是听力方面，有了很大的进步。

After getting to China, my Chinese, especially in listening, greatly improved.

**⑤ Topic 纷纷 comment**　　(Topic comments one after another; in succession)

例 改革开放以后，有些在国营企业工作的人纷纷"下海"，干起了第二职业。

After the reform and the opening up, those who worked for state-own enterprises plunged into business one after another, and started their second careers.

例 现在看京剧的人越来越少了，所以京剧演员纷纷改行，去演电影或者唱歌。

Fewer and fewer people watch Beijing Opera nowadays. So the Beijing opera performers are changing their careers one after another, to either acting in movies or singing.

**⑥ 本来 originally**

In this case, 本来 is interchangeable with 原来.

例 一条街本来冷冷清清，现在全是商店。

This street was originally quiet and deserted, but now it's full of stores.

例 我本来以为京剧只是唱，看了京剧以后才知道，唱只是京剧的一部分。

I originally thought that Beijing opera only consisted of singing. Only after watching Beijing opera did I realize that singing is only one part of it.

**⑦ Sb 靠 NP 来 VP**　　(Sb count on/rely on NP to VP)

例 有些研究生靠自己的高智商玩股票。

Some graduated students rely on their high IQ to ded in stocks.

例 京剧演员主要靠动作来让观众知道时间和地点。

Beijing opera performers mainly rely on their gestures to let the audience know the time and location in the plot.

**⑧ Sb 愿意 VP**　　(Sb be willing to VP)

例 现在没有多少人愿意投资生产和投资研究设计。

Nowadays few people are willing to invest in production, research and design.

例 现在有些年轻人不愿意踏踏实实地努力工作，只想轻轻松松地赚钱。

Nowadays some young people are not willing to work hard, honestly and with dedication; they just want to earn money without any effort.

**⑨ S1，相反地 S2**　　(S1. On the contrary, S2 )

例 眼光短浅的商人不愿意投资研究和设计，相反地，他们愿意出高价买一个吉利的电话号码！

Stort-sighted businessmen are not willing to invest in research and design. On the contrary, they are willing to buy a lucky phone number at a high price.

例 她吃了减肥药以后没有变瘦，相反地，她变胖了。

She didn't get thinner after taking the weight-loss pills. On the contrary, she got fatter.

**⑩ Topic 1 和Topic 2 有关系**　　(Topic 1 has something to do with Topic 2)

例 "无商不奸"这句话和中国人歧视商人的传统有关系。

The saying "all merchants are tricky and sly" has something to do with the Chinese tradition of looking down on merchants.

例 根据中医的理论，一个人身体健康不健康和体内的阴阳有关系。

According to the theory of Chinese medicine, whether a person is healthy or not has something to do with the yin and yang in one's body.

**⑪ Sb 一时 short verb phrase, VP**　　(Sb verb phrase at the moment/ momentarily, VP)

In this pattern, the structure of the short verb phrase is usually like "V + 不 + resultative compound", such as 想不开, 忍不住, or 想不出来.

例 那位中学生考试考得不好，他一时想不开，把一盒老鼠药都吃了。

That middle school student didn't do well in the exam. He ate a whole box of raticide in a moment of despair.

例 昨天她男朋友跟她说分手的时候，她一时忍不住，哭了起来。

When her boyfriend told her yesterday that he wanted to break up, she lost control for a moment, and started crying.

**⑫** Topic 根本 comment    (Topic completely/thoroughly comment)

The comment is usually a negative statement, which begins with 不 or 没有.

例 这盒老鼠药根本没有毒性。

This box of raticide is completely non-toxic.

例 陈刚给刘梅写信，想约她喝咖啡，但是刘梅根本没有理他。

Chen Gang wrote to Liu Mei, wanting to set a date to have coffee with her, but Liu Mei did not pay any attention to him at all.

**⑬** Sb1 (向Sb2) 推荐 NP    (Sb1 recommends NP (to Sb2))

例 这位游客想买工艺品，所以导游向她推荐了一家商店。

This tourist wanted to buy some artwork and handicrafts, so the tour guide recommended a store to him.

例 我向大家推荐一家新开业的饭馆，在颐和园附近。

I recommend a newly-opened restaurant to you. It's near the Summer Palace.

**⑭** NP1 比 NP2 + adj 了 + quantitative statement    (NP1 is much more adj than NP2 by quantitative statement)

例 这位细心的游客发现，这里的商品比别的商店贵了一倍以上。

This careful tourist discovered that the merchandise in this store was more than twice as expensive as that in other stores.

例 根据有关部门的统计，中国现在的离婚率比五年前高了两倍以上。

According to Chinese government statistics, the divorce rate in China at present is more than three times as high as the divorce rate of five years ago.

**⑮** Topic 高达 + quantitative statement    (Topic reach as high as quantitative statement)

例 回扣有时高达百分之二十。

Sometimes illegal commissions can get as high as twenty percent.

例 她是公司的经理，一个月的收入高达一万美金。

She is a company's manager. Her monthly income is as high as ten thousand dollars.

## Other Notes

**歧视/歧视** to discriminate; discrimination
It can be used either as a verb or as a noun. When used as an noun, the most common verb that goes with it is 受到.

● 商人曾經是一種不光彩的職業，受到很多歧視。
商人曾经是一种不光彩的职业，受到很多歧视。

**搖身一變/摇身一变**
It literally means "give oneself a shake and change into something else." It is used to describe a sudden change of identity, usually from a low-ranking position to a high-ranking position.

● 幾年不見，他搖身一變成了一個私營企業的老闆了！
几年不见，他摇身一变成了一个私营企业的老板了！

## Supplement

## Chronology of Chinese History

| 夏 | | Xià | Xia | 2070 B.C.—1600 B.C. |
|---|---|---|---|---|
| 商 | | Shāng | Shang | 1600 B.C.—1300 B.C. |
| 周 | | Zhōu | Zhou | 1046 B.C.—771 B.C. |
| 春秋 | | Chūnqiū | Spring and Autum Period | 770 B.C.—476 B.C. |
| 战国 | 戰國 | Zhànguó | Warring States | 475 B.C.—221 B.C. |
| 秦 | | Qín | Qin | 221 B.C.—206 B.C. |
| 汉 | 漢 | Hàn | Han | 206 B.C.— 220 A.D. |
| 三国 | 三國 | Sānguó | Three Kingdoms | 220—280 |
| 晋 | 晉 | Jìn | Jin | 265—420 |
| 南北朝 | | Nánběicháo | Northern and Southern Dynasties | 420—589 |
| 隋 | | Suí | Sui | 581—618 |

| 唐 | | Táng | Tang | 618—907 |
|---|---|---|---|---|
| 五代十国 | 五代十國 | Wǔdàishíguó | Five Dynasties and Ten Kingdoms | 907—960 |
| 宋辽金 | | Sòng Liáo Jīn | Song Liao Jin | 960—1279 |
| 元 | | Yuán | Yuan | 1206—1368 |
| 明 | | Míng | Ming | 1368—1644 |
| 清 | | Qīng | Qing | 1616—1911 |
| 中华民国 | 中華民國 | "Zhōnghuá Mínguó" | "Republic of China" | 1912—1949 |
| 中华人民共和国 | 中華人民共和國 | Zhōnghuá Rénmín Gònghéguó | People's Republic of China | 1949—present |

**Notes**

This is a partial list. There was often more than one dynasty at a time; for example the Liao, Jin and Western Xia ruled in the North while the Song was ruling the South.

# 书面作业
# Writing Tasks

**I.** **Please choose the best answer to each blank.**

| | | | | |
|---|---|---|---|---|
| a. 地位 | b. 想不开 | c. 轰动一时 | d. 冷冷清清 | e. 共识 |
| f. 规定 | g. 歧视 | h. 素不相识 | i. 以上 | j. 摇身一变 |
| k. 鼓励 | l. 刺激 | | | |

1. 在这个国家知识分子的社会（　　）不高。

2. 在美国，四十年前，不会讲英语的人种常常会受到种种（　　）。

3. 政府（　　）大学生毕业之前不能出国留学。

4. 这个逃犯（　　）成了饭店的经理。

5. 你怎么能和一个（　　）的人谈自己的家庭情况呢？

6. 中国将成为世界最大的电脑市场，这是许多商人的（　　）。

7. 那个电影明星为了第三者叫人杀了自己老婆，曾经是（　　）的新闻。

8. 这位中学生考试考得不好，他一时（　　），吃了一盒老鼠药。

9. 这个班女生的人数比男生多一倍（　　）。

10. 放假时校园里（　　），大家都回家了。

II. Translate the following sentences into Chinese.

1. Nowadays, many young people admire those "Big Shots" who made a fortune effortlessly.

2. Many Chinese consumers want to buy European cars, especially German ones.

3. What I hate more than anything else is mail order deception (假的邮购广告). After I took the medicine I ordered by mail that was claimed to be capable of turning gray hair black, I found that nothing happened to my hair. Instead, my teeth turned black!

# 不打不成材？
## 不打不成材？

17

中國有句老話，叫做"不打不成材"。這是說，就像一棵小樹要經過修剪才能長成筆直的大樹一樣，當一個孩子犯錯的時候，家長必須打他，讓他記住這個教訓，他以後才不會犯同樣的錯，變成一個有用的人。溺愛孩子，捨不得打他，其實是在害他。

根據教育學家的調查，五十歲以上的中國人，百分之八十都挨過父母的打。現在因為都是獨生子女，所以打孩子的家長比過去少了，但是也還有百分之四十左右的小學生說他們曾經挨過打。很多家長說，他們知道打孩子不是最好的教育方法，但是如果孩子太淘氣了，說服教育沒有用，除了打以外恐怕就沒有什麼更有效的方法了。令人驚訝的是，接受調查的大部份家長不知道體罰是非法的，很多人認為家長有權利打孩子，只要不把孩子打傷就行。

一位很有名的作家在他寫的自傳中說，小時候他常常挨父母的打。當時他覺得很委屈，但是現在他卻非常感謝父母，因為不然的話，他就不會努力地學習，也就不會有今天的成就。

但是一位心理學家認為，很多父母通過打孩子來發洩他們自己心中的火氣。他們在工作中、生活中遇到了不順心的事，就把孩子當成出氣筒。孩子挨打以後，心靈的創傷往往超過皮肉之苦。挨過打的孩子長大以後常常會用同樣的方法對待自己的孩子。

中国有句老话，叫做"不打不成材"。这是说，就像一棵小树要经过修剪才能长成笔直的大树一样，当一个孩子犯错的时候，家长必须打他，让他记住这个教训，他以后才不会犯同样的错，变成一个有用的人。溺爱孩子，舍不得打他，其实是在害他。

根据教育学家的调查，50岁以上的中国人，80%都挨过父母的打。现在因为都是独生子女，所以打孩子的家长比过去少了，但是也还有40%左右的小学生说他们曾经挨过打。很多家长说，他们知道打孩子不是最好的教育方法，但是如果孩子太淘气了，说服教育没有用，除了打以外恐怕就没有什么更有效的方法了。令人惊讶的是，接受调查的大部分家长不知道体罚是非法的，很多人认为家长有权利打孩子，只要不把孩子打伤就行。

一位很有名的作家在他写的自传中说，小时候他常常挨父母的打。当时他觉得很委屈，但是现在他却非常感谢父母，因为不然的话，他就不会努力地学习，也就不会有今天的成就。

但是一位心理学家认为，很多父母通过打孩子来发泄他们自己心中的火气。他们在工作中、生活中遇到了不顺心的事，就把孩子当成出气筒。孩子挨打以后，心灵的创伤往往超过皮肉之苦。挨过打的孩子长大以后常常会用同样的方法对待自己的孩子。

# New Words

| | | | | |
|---|---|---|---|---|
| 成材★ | | chéngcái | v. | grow into useful timber, be a successful person |
| 棵 | | kē | m.w. | for trees |
| 修剪 | | xiūjiǎn | v. | prune, trim |
| 笔直 | 筆直 | bǐzhí | a. | perfectly straight |
| 犯错 | 犯錯 | fàncuò | v. | make a mistake |
| 必须 | 必須 | bìxū | aux. | have to, must |
| 教训 | 教訓 | jiàoxùn | n. | lesson |
| 同样★ | 同樣 | tóngyàng | a. | the same |
| 溺爱 | 溺愛 | nì'ài | v. | spoil (a child) |
| 舍不得 | 捨不得 | shě·bu·de | v. | be reluctant (to give up or let go), hate to |
| 害 | | hài | v. | do harm to |
| 教育学家 | 教育學家 | jiàoyùxuéjiā | n. | educator |
| 调查 | 調查 | diàochá | n. | survey, poll |
| 挨打 | | áidǎ | v. | get hit, be spanked |
| 独生子女 | 獨生子女 | dúshēngzǐnǔ | n. | the only son/daughter in the family |
| 淘气 | 淘氣 | táoqì | a. | mischievous |
| 说服 | 說服 | shuōfú | v. | persuade, persuade with words |
| 惊讶 | 驚訝 | jīngyà | a. | surprised, astonished |
| 体罚★ | 體罰 | tǐfá | n. | corporal punishment |
| 权利 | 權利 | quánlì | n. | right |
| 自传 | 自傳 | zìzhuàn | n. | autobiography |
| 委屈 | | wěi·qu | a. | feeling wronged |
| 感谢 | 感謝 | gǎnxiè | v. | thank, appreciate |
| 成就 | | chéngjiù | n. | accomplishment |
| 心理学家 | 心理學家 | xīnlǐxuéjiā | n. | psychologist |

| 发泄 | 發洩 | fāxiè | v. | let off, vent |
|------|------|-------|-----|---------------|
| 火气 | 火氣 | huǒqì | n. | anger |
| 顺心 | 順心 | shùnxīn | a. | satisfactory, smooth |
| 出气筒 | 出氣筒 | chūqìtǒng | n. | undeserved target of anger |
| 心灵★ | 心靈 | xīnlíng | a./n. | mental; soul, mentality |
| 创伤★ | 創傷 | chuāngshāng | n. | wound, trauma |
| 往往 | | wǎngwǎng | adv. | tend to, usually |
| 皮肉之苦★ | | píròuzhīkǔ | n. | physical pain |
| 对待 | 對待 | duìdài | v. | treat |

# General Review: Conditional Sentences without Marker

In some cases, conditional conjunctions 如果 or 要是 can be dropped and the meaning of a sentence remains the same. This typically occurs when there is a negative word in the conditional phrase, or when used in short, informal conversations.

不打不成材 ＝ 要是不打孩子，孩子就不能成材。

你不同意我就不走。＝ 如果你不同意【我的請求】，我就不走。
你不同意我就不走。＝ 如果你不同意【我的请求】，我就不走。

沒錢就別去那兒買東西。＝ 要是沒有錢就不要去那個地方買東西。
没钱就别去那儿买东西。＝ 要是没有钱就不要去那个地方买东西。

他來我就走。＝要是他來那我就走。
他来我就走。＝要是他来那我就走。

好玩就多玩兒會兒。＝ 要是你覺得好玩兒，就多玩兒一會兒。
好玩就多玩儿会儿。＝ 要是你觉得好玩儿，就多玩儿一会儿。

不打不成材？
17

**1** 中国有句老话，叫做 quotation，这是说，S

(China has an old saying; it goes quotation. That is to say, S)

例 中国有句老话，叫做"不打不成材"，这是说，当一个孩子犯错的时候，家长必须打他。

There is a Chinese adage that says "no success without spanking." That is to say, when a child misbehaves, the parents must spank him.

例 中国有句老话，叫做"无商不奸"，这是说，商人常常靠骗来赚钱。

There is a Chinese adage that says "all merchants are tricky and sly." This is to say that merchants always earn money by treachery.

**2** 只要 topic 就行

(It will do/It's fine as long as topic.)

就行 here functions as a comment.

例 很多家长认为他们有权利打孩子，只要不把小孩打伤就行。

Many parents think that they have the right to hit their children, as long as they don't hurt them.

例 小孩犯错没有关系，只要他们知道错了就行。

It's okay for kids to misbehave, as long as they realize [afterwards] that they have erred.

**3** Sb 就觉得很委屈

(Sb feel wronged)

例 小孩挨父母打时，常常觉得很委屈。

A child always feels wronged when spanked by his parents.

例 这件事情不是我的错，但是大家都怪我，我觉得很委屈。

This is not my fault, but everybody blames me. I feel wronged.

**4** Statement/Suggestion，不然的话，S

(Statement/Suggestion, otherwise, S )

不然的话 is mainly used in oral speech or narrative writing, and the sentence following often indicates a possible result and usually contains 就, 会 or both.

例 这位作家现在非常感谢小时候他的父母打他，因为不然的话，他就不会有今天的成就。

This writer is now very grateful to his parents for spanking him in his childhood, because otherwise he wouldn't have had today's achievements.

例 你要快一点儿，不然的话，就会赶不上飞机。

You should hurry up a little. Otherwise you will miss the plane.

---

**⑤ Topic 往往 Comment**　　(Topic usually/tend to comment )

Different from 常常, which is related both to frequency and tendency, 往往 is related only to tendency.

例 根据心理学家的说法，心灵的创伤往往超过皮肉之苦。

**According to what psychologists say, mental trauma tends to exceed physical pain.**

例 人往往是离开家以后才发现家人有多么的重要。

Usually, it's only after leaving home that people realize how important their relatives are.

---

## Other Notes

### 犯錯/犯错　make a mistake

You can say either 犯錯/犯错 or 犯了錯/犯了错, but do not say 犯錯誤/犯错误, due to prosodic reasons. Since 犯錯/犯错 is a V-O compound, you can insert an adjective, if necessary, between 犯 and 錯/错, such as 犯了同樣的錯/犯了同样的错.

### 挨打　get hit, be spanked (by parents or teachers)

The most commonly used pattern is "挨過(Sb 的)打(experience)" or "挨了(Sb 的)打(completion)."

● 告訴我，小時候你挨過打嗎?
　告诉我，小时候你挨过打吗?

● 我昨天又挨了媽媽的打。
　我昨天又挨了妈妈的打。

### 往往 VS 常常

常常 refers to frequency whereas 往往 denotes tendency or how usual something is.
● 最有學問的人往往（常常）也是最有涵養的人。
　最有学问的人往往（常常）也是最有涵养的人。

Also, in most cases, 往往 can be replaced by 常常, but 常常 cannot be replaced by 往往 in the sense of frequency.

● 我和瑪麗是好朋友，我們常常打電話。(You cannot say *我們往往打電話)
　 我和玛丽是好朋友，我们常常打电话。(You cannot say *我们往往打电话)

# Topic for Discussion

⊚　心理學家認為：很多父母是通過打孩子來發洩自己心中的火氣。你同意這樣的看法嗎？

　　心理学家认为：很多父母是通过打孩子来发泄自己心中的火气。你同意这样的看法吗？

⊚　請談談你對"不打不成材"這句話的看法。

　　请谈谈你对"不打不成材"这句话的看法。

⊚　你挨過打嗎？你對體罰的態度是什麼？

　　你挨过打吗？你对体罚的态度是什么？

# Writing Tasks

**I.** **Translate the following paragraph into Chinese.**

There is an old saying in Chinese: "Spare the rod, spoil the child." People believe that, in the same way that a tree needs to be pruned to grow tall and straight, a child needs to be spanked when he has misbehaved, so that he can remember and improve. This will eventually help the child become a useful person when he grows up. If you dote on your child and are reluctant to "use your rod," you are actually doing harm to him rather than good.

Educators believe that corporal punishment is not the right way to teach children. They maintain that very often the psychological damage caused by spanking outweighs the supposed educational effect, especially in cases in which the parent spanks the child in order to vent frustrations from elsewhere.

**II.** **Make a sentence by using the word provided. Pay special attention to the difference between the words. 请用所给的词造句，注意每组中两个词的区别。**

1. 往往V.S.常常

往往: _____

常常: _____

2. 教育V.S.教训

教育: _____

教训: _____

# 屋頂上的蕃茄樹
## 屋顶上的蕃茄树 18

那是一幕令我難忘的回憶。小學三年級的時候，有一天我突然發現我們的屋頂上長出蕃茄來，我很驚訝地問祖父：

　　"阿公，我們的屋頂上為什麼會長出蕃茄來呢？"

　　"這有什麼好奇怪的？你又跑到屋頂上玩？"

　　"沒有！我在底下就可以看到蕃茄樹，它長得好高。它為什麼不長在田裏呢？"

　　"傻瓜！難道它想長在田裏，就能長在田裏嗎？"

　　"那為什麼？"我問。

　　"這個你也不知道。田裏的蕃茄成熟的時候，麻雀去偷吃，吃飽了以後，就到我們的屋頂上來。結果皮和肉消化了，籽兒沒消化，麻雀拉了一泡屎，就把蕃茄籽兒也拉出來了。後來就長出蕃茄了。"

　　"但是，我還是不太懂。屋頂上沒有什麼土啊？"

　　祖父突然帶著嚴肅的口吻說："想活下去的話，就有辦法！"

　　過了不久，有一次在學校上美術課的時候，老師要我們畫"我的家"。我在一個房子的屋頂上畫了一棵蕃茄樹，比例比房子還大，還長了紅紅的蕃茄。我很高興地交給老師。

　　"等一等。"老師把我叫回來。"你畫的是什麼？"

　　"蕃茄樹。"我說。

　　"蕃茄樹？"老師叫了起來。然後啪地給我一記耳光："你看過蕃茄樹沒有？啊？"

　　我摀著挨打的臉頰說："看過。"

　　啪！我的另一邊又挨打。"看過！你還說看過！"

　　"老師，我真的看過。"我小聲地說。

那是一幕令我难忘的回忆。小学三年级的时候，有一天我突然发现我们的屋顶上长出蕃茄来，我很惊讶地问祖父：

"阿公，我们的屋顶上为什么会长出蕃茄来呢？"

"这有什么好奇怪的？你又跑到屋顶上玩？"

"没有！我在底下就可以看到蕃茄树，它长得好高。它为什么不长在田里呢？"

"傻瓜！难道它想长在田里，就能长在田里吗？"

"那为什么？"我问。

"这个你也不知道。田里的蕃茄成熟的时候，麻雀去偷吃，吃饱了以后，就到我们的屋顶上来。结果皮和肉消化了，子儿没消化，麻雀拉了一泡屎，就把蕃茄子儿也拉出来了。后来就长出蕃茄了。"

"但是，我还是不太懂。屋顶上没有什么土啊？"

祖父突然带着严肃的口吻说："想活下去的话，就有办法！"

过了不久，有一次在学校上美术课的时候，老师要我们画"我的家"。我在一个房子的屋顶上画了一棵蕃茄树，比例比房子还大，还长了红红的蕃茄。我很高兴地交给老师。

"等一等。"老师把我叫回来。"你画的是什么？"

"蕃茄树。"我说。

"蕃茄树？"老师叫了起来。然后啪地给我一记耳光："你看过蕃茄树没有？啊？"

我捂着挨打的脸颊说："看过。"

啪！我的另一边又挨打。"看过！你还说看过！"

"老师，我真的看过。"我小声地说。

但是，老師更生氣了。他拉開我的手，又摑掌過來：

"你看過？你看過還把蕃茄樹畫在屋頂上？站好！"

我的鼻血流出來了。同時腦子浮現出屋頂上的蕃茄樹來，我冷靜地說：

"我家的屋頂上就長了蕃茄樹。"

"你種的？"這次沒打我。

"自己長出來的。"

"騙鬼！"他又想打我，但把手縮了回去。"屋頂上沒有土怎麼能活呢？騙鬼！"

這時候祖父的話也浮出來了。我說：

"想活下去的話，就有辦法。"其實那時我還不懂這句話的意思。

"如果你不想活了，你就再辯！"他舉起手威脅我。我不但沒縮頭，反而放下手，把頭抬起來站好，好像要為真理犧牲一樣。當然，那時什麼都還不懂的。

老師大概看到我鼻血流得太多，又好像壓不住我。他轉個口氣說："班長，帶他到醫務室去！"

我沒去，一直站在那裏，最後老師把畫收集起來就回辦公室去了。

那一天回家，遠遠地看到我家的屋頂，看到屋頂上的那一棵蕃茄樹在風裏搖動的時候，我竟然忍不住放聲痛哭。

現在想起鄉下的老百姓，也想起都市里的知識份子，還有屋頂上的蕃茄樹。我想他們都有一個共同的宿命：

世界上，沒有一顆種子，有權選擇自己的土地，同樣地，也沒有一個人，有權選擇自己的膚色。

但是，老师更生气了。他拉开我的手，又捆掌过来：

"你看过？你看过还把蕃茄树画在屋顶上？站好！"

我的鼻血流出来了。同时脑子浮现出屋顶上的蕃茄树来，我冷静地说：

"我家的屋顶上就长了蕃茄树。"

"你种的？"这次没打我。

"自己长出来的。"

"骗鬼！"他又想打我，但把手缩了回去。"屋顶上没有土怎么能活呢？骗鬼！"

这时候祖父的话也浮出来了。我说：

"想活下去的话，就有办法。"其实那时我还不懂这句话的意思。

"如果你不想活了，你就再辩！"他举起手威胁我。我不但没缩头，反而放下手，把头抬起来站好，好像要为真理牺牲一样。当然，那时什么都还不懂的。

老师大概看到我鼻血流得太多，又好像压不住我。他转个口气说："班长，带他到医务室去！"

我没去，一直站在那里，最后老师把画收集起来就回办公室去了。

那一天回家，远远地看到我家的屋顶，看到屋顶上的那一棵蕃茄树在风里摇动的时候，我竟然忍不住放声痛哭。

现在想起乡下的老百姓，也想起都市里的知识分子，还有屋顶上的蕃茄树。我想他们都有一个共同的宿命：

世界上，没有一颗种子，有权选择自己的土地，同样地，也没有一个人，有权选择自己的肤色。

| 屋顶 | 屋頂 | wūdǐng | n. | roof |
| 蕃茄 | | fānqié | n. | tomato |
| 幕 | | mù | m.w. | for scene |
| 难忘 | 難忘 | nánwàng | a. | hard to forget |
| 回忆 | 回憶 | huíyì | n. | memory, recollection |
| 小学 | 小學 | xiǎoxué | n. | elementary school |
| 祖父 | | zǔfù | n. | grandfather |
| 阿公△ | | āgōng | | (dialect) grandpa |
| 底下 | | dǐ·xia | n. | down there |
| 田 | | tián | n. | farmland |
| 成熟 | | chéngshú | v. | ripen |
| 麻雀 | | máquè | n. | sparrow |
| 偷 | | tōu | v. | steal |
| 饱 | 飽 | bǎo | a. | full |
| 皮 | | pí | n. | skin |
| 肉 | | ròu | n. | meat, flesh |
| 消化 | | xiāohuà | v. | digest |
| 子儿 | 籽兒 | zǐr | n. | (fruit) seeds |
| 拉屎 | | lāshǐ | v. | move bowels |
| 泡 | | pāo | m.w. | for droppings |
| 土 | | tǔ | n. | soil |
| 口吻 | | kǒuwěn | n. | tone |
| 美术 | 美術 | měishù | n. | art |
| 画 | 畫 | huà | v. | draw |
| 比例 | | bǐlì | n. | proportion |

| | | | | |
|---|---|---|---|---|
| 交 | | jiāo | *v.* | hand in |
| 啪△ | | pā | *onom.* | bang |
| 记 | 記 | jì | *m.w.* | for a slap, etc. |
| 耳光 | | ěrguāng | *n.* | slap on the ear/face |
| 捂 | | wǔ | *v.* | cover |
| 脸颊 | 臉頰 | liǎnjiá | *n.* | cheek |
| 掴掌 | 摑掌 | guózhǎng | *v.* | slap |
| 站好 | | zhànhǎo | *v.* | stand still |
| 鼻血 | | bíxiě | *n.* | nose blood |
| 流 | | liú | *v.* | flow |
| 浮现 | 浮現 | fúxiàn | *v.* | appear (in one's mind) |
| 種 | 种 | zhōng | *v.* | grow |
| 骗鬼△ | 騙鬼 | piānguǐ | *phr.* | Who are you trying to fool? You liar! |
| 缩 | 縮 | suō | *v.* | retreat, draw back |
| 浮 | | fú | *v.* | emerge |
| 辩 | 辯 | biàn | *v.* | argue |
| 举手 | 舉手 | jǔshǒu | *v.* | raise one's hand |
| 威胁 | 威脅 | wēixié | *v./n.* | threaten; threat |
| 牺牲 | 犧牲 | xīshēng | *v./n.* | sacrifice |
| 压 | 壓 | yā | *v.* | weigh down |
| 转个口气★ | 轉個口氣 | zhuǎngěkǒuqì | *v.* | change one's tone |
| 班长 | 班長 | bānzhǎng | *n.* | class leader |
| 医务室 | 醫務室 | yīwùshì | *n.* | health center |
| 收集 | | shōují | *v.* | collect |
| 摇动 | 搖動 | yáodòng | *v.* | shake |

| | | | | |
|---|---|---|---|---|
| 竟然 | 竟然 | jìngrán | *adv.* | unexpectedly |
| 放声痛哭 ★ | 放聲痛哭 | fàngshēng tòngkū | *v.* | cry unrestrainedly, cry loudly |
| 老百姓 | | lǎobǎixìng | *n.* | folks, common people |
| 都市 | | dūshì | *n.* | metropolis, city |
| 共同 | | gòngtóng | *a.* | common |
| 宿命 | | sùmìng | *n.* | fate, destiny |
| 种子 | 種子 | zhǒng·zi | *n.* | seed |
| 土地 | | tǔdì | *n.* | land |
| 肤色 | 膚色 | fūsè | *n.* | complexion |

# About the author

黃春明是台灣近代重要的小說家之一。他1935年出生於台灣宜蘭。他的作品多描寫社會裏小人物所遭遇到的困難和所面臨到的無奈，讓讀者可以深刻體會到六十、七十年代台灣社會的變化。九十年代以後，黃春明的創作進入童話世界。他很能反映小孩子的心理，用小孩的眼光來觀察和諷刺這個社會。他最有名的作品包括《莎喲娜啦，再見》、《青蘋果的滋味》和《兒子的大玩偶》等。

黄春明是台湾近代重要的小说家之一。他1935年出生于台湾宜兰。他的作品多描写社会里小人物所遭遇到的困难和所面临到的无奈，让读者可以深刻体会到六十、七十年代台湾社会的变化。九十年代以后，黄春明的创作进入童话世界。他很能反映小孩子的心理，用小孩的眼光来观察和讽刺这个社会。他最有名的作品包括《莎喲娜啦，再见》、《青苹果的滋味》和《儿子的大玩偶》等。

Huang Chunming (Huáng Chūnmíng), born in Yilan in 1935, is one of the most important modern writers in Taiwan. His works are known for their portrayal of lower-class Taiwanese people in the 60's and 70's. He writes about the problems they face as well as their lack of power. Some of his works have been translated into English and other languages, and two of them have been adapted into movies. His most famous novels include "Sayonara, Goodbye," "The Taste of Apples," and "The Son's Big Doll."

# General Grammar Review

## 1    Singular or Plural

In Chinese, the number or the determinator before a noun can help us understand whether this noun is singular or plural although the form of the noun remains unchanged (兩個人、三本書、那些東西/两个人、三本书、那些东西). Sometimes, however, there is neither a number nor a determinator before a noun. Then, how can we determine whether it is singular or plural? In some cases, the quantity does not matter, or is not the focus. For example, 小心！他有槍/小心,他有枪. He may have just one gun, or two or more. The focus is not how many guns he may have but that he is dangerous. In some other cases, the speaker and the listener(s) all know the quantity, so there is no need to mention it. For example, 衣服我洗了. The listener(s) will know whether it is 那一件衣服 or 那些衣服. Finally, you may know the quantity based on common sense or from the context. Try to determine the quantity of the nouns in the following sentences.

⇨ 田裡的蕃茄成熟的時候，麻雀去偷吃了。   田里的蕃茄成熟的时候，麻雀去偷吃了。

⇨ 老師把我叫住了。   老师把我叫住了。

⇨ 他把我的字典拿走了。   他把我的字典拿走了。

⇨ 國家有法律，不許收回扣。   国家有法律，不许收回扣。

## 2    Measure Words in Literature

In literature, authors may use some special measure words to make expressions more descriptive. In daily speech, however, people are inclined to use more common measure words such as 個/个. See the following examples:

⇨ 又是一幕叫我難忘的回憶。（口語：一個）   又是一幕叫我难忘的回忆。（口语：一个）

⇨ 然後啪地給我一記耳光。（口語：一個）   然后啪地给我一记耳光。（口语：一个）

⇨ 他的話讓大家看到一線希望。（口語：一點）   他的话让大家看到一线希望。（口语：一点）

## 3    Important Action verbs

"捂"    ⇨ 我問他最近怎麼樣，沒想到他突然捂著臉哭起來了。

         我问他最近怎么样，没想到他突然捂着脸哭起来了。

       ⇨ 我想看看兒子在寫什麼，但他立刻把筆記本捂起來不讓我看。

         我想看看儿子在写什么，但他立刻把笔记本捂起来不让我看。

"縮/缩"    ⇨ 他想拿我桌上的報紙，但看到老師走進教室，就趕忙把手縮回去了。

         他想拿我桌上的报纸，但看到老师走进教室，就赶忙把手缩回去了。

       ⇨ 外邊這麼冷，他縮著脖子，把帽子往下拉了拉。

         外边这么冷，他缩着脖子，把帽子往下拉了拉

"抬"    ⇨ 這個人真沒禮貌，我跟他說了半天，他一直沒把頭抬起來看我。

         这个人真没礼貌，我跟他说了半天，他一直没把头抬起来看我。

       ⇨ 看到別的來面試的人都穿得很漂亮，她覺得有點兒抬不起頭來。

⇨ 看到別的来面试的人都穿得很漂亮，她觉得有点儿抬不起头来。

"轉/转"　⇨ 他問了我幾個問題後，轉過身去，從書架上拿下來一本書，問我看過沒有。

他问了我几个问题后，转过身去，从书架上拿下来一本书，问我看过没有。

⇨ 他發現我並不害怕，就轉了一下口氣說："我年輕的時候也是這樣。"

他发现我并不害怕，就转了一下口气说："我年轻的时候也是这样。"

"壓/压"　⇨ 地震 (earthquake)的時候正是深夜。很多人被壓在房子下面了。

地震 (earthquake)的时候正是深夜，很多人被压在房子下面了。

⇨ 他的火氣很大，生起氣來想壓也壓不住。

他的火气很大，生起气来想压也压不住。

# Sentence Patterns

---

**1** Location +action verb+ resultative marker ( 出来 / 进来 ) +NP

(NP verb resultative marker in location)

If the resultative marker is 出来, the NP is usually placed between 出 and 来.

例 我们的屋顶上长出蕃茄来。

From our roof grew some tomatoes.

例 教室走进来一位时髦的小姐。

Into the classroom walked a fashionable young lady.

**2** 难道S1, S2吗？　(Is it possible that S1, S2?)

This is also a rhetorical question, which implies, in the speaker's view, S1, S2 is impossible. S2 often goes with 就.

例 难道它想长到田里，就能长在田里吗？

Is it possible for it to grow in the fields just because it wants to?

例 难道父母不顺心的时候，就可以把孩子当成出气筒吗？

Is it feasible that parents vent their anger through beating their children when they meet with frustrations in their work?

**③ Sb + 不但 不/没有VP1，反而VP2**

**(Sb didn't VP1. On the contrary, Sb VP2)**

In this pattern, VP1 is the action people assume Sb will do, but it turns out that Sb does VP2 instead, which surprises people.

例 老师想打我，我不但没缩头，反而放下手。

The teacher wanted to hit me. Not only didn't I draw back my head, I put my hands down instead.

例 我在屋顶上画了番茄树，老师不但没鼓励我，反而给我一记耳光。

I drew a tomato vine on the roof. Not only didn't the teacher encourage me, he slapped me instead.

**④ S, 好像 VP 一样**

**(S, just as VP)**

In this pattern, the subject of S is the same as the one of VP.

例 我把头抬起来站好，好像要为真理牺牲一样。

I held up my head and stood straight, as if about to make a sacrifice for truth.

例 我晚上吃了三碗面，四十个饺子，好像三天没吃饭一样。

I ate three bowls of noodles and forty dumplings, as if I hadn't eaten for three days.

**⑤ Sb + 竟然 + VP**

**(Sb VP unexpectedly)**

In this pattern, the VP occurs totally out of the blue to the speaker.

例 挨了老师的打以后，那天回家，我竟然忍不住放声痛哭。

After being hit by my teacher, on my way home that day, to my surprise, I couldn't help crying loudly and bitterly.

例 他真是太大意了，竟然忘记今天有考试。

He is really too careless, so shockingly so that he forgot about today's exam.

**V 比例 proportion**

- 哈佛大學的本科生的比例是百分之三十。
  哈佛大学的本科生的比例是百分之三十。

- 哈佛大學的研究生的比例是百分之七十。
  哈佛大学的研究生的比例是百分之七十。

When you want to say "2:3", you have to say "二比三"(":"is read as 比, bǐ). Likewise, "20%:30%" should be read as "百分之二十比百分之三十".

- 哈佛大學的本科生和研究生的比例是百分之三十比百分之七十。
  哈佛大学的本科生和研究生的比例是百分之三十比百分之七十。

- 我們班的男女生比例是五比七。
  我们班的男女生比例是五比七。

# Names of plants

Since China is a very big country, it is quite common to have regional variations in the name of a plant. "蕃茄 = 西紅柿 / 西红柿 , xīhóngshì" is one of the examples.

# Topics for Discussion

(1) 你覺得這一課作者主要想說明什麼?
    你觉得这一课作者主要想说明什么?

(2) 如果你有機會遇到那位老師, 你想和他說什麼? 為什麼?
    如果你有机会遇到那位老师, 你想和他说什么? 为什么?

# Writing Tasks

**I.** Fill in the blanks with 反而 WHEREVER POSSIBLE (that is, when both 反而 and 却 are applicable in the sentence, you have to choose 反而 ). Otherwise fill in the blanks with 却 .

1. 玛丽说她六点来，但是到了六点，她 ＿＿＿＿＿＿ 没来。

2. 学生都知道什么时候考试，但是老师 ＿＿＿＿＿＿ 不知道。

3. 画好蕃茄树交给老师后，老师不但不夸我，＿＿＿＿＿＿ 给我一记耳光。

4. 大多数学中文的学生都有中文名字，但是玛丽 ＿＿＿＿＿＿ 没有。

5. 那个著名的作家小时候老挨打，但是他长大后不但不恨父母，＿＿＿＿ 感谢他们。

**II.** Translate the following sentences into Chinese with the expression provided.

1. After being hit by my teacher, on my way home that day, to my surprise, I couldn't help crying loudly and bitterly. (竟然……)

2. A: A few days ago, from our roof some tomatoes grew. So strange!

   B: What's so strange about that?

3. I held up my head and stood straight, as if about to make a sacrifice for Truth. (好像……一样)

**III.** Please use the words listed below to make 3 sentences. Each sentence must have at least 3 new words. Try to use as many terms as you can.
请用下列词语造三个句子，每个句子至少包括三个新词。

| | | | | | | | | | |
|---|---|---|---|---|---|---|---|---|---|
| 难忘 | 回忆 | 底下 | 成熟 | 消化 | 口吻 | 浮现 | 威胁 | 牺牲 | 老百姓 |
| 摇动 | 竟然 | 共同 | 宿命 | 土地 | 肤色 | 比例 | 都市 | 收集 | 缩 |

# 台商在上海

台商在上海 19

記者：　鄭先生，您是什麼時候來上海的？

　鄭：　我嘛，我第一次是1995年。那個時候一個朋友對我說，上海蠻有前途的，我不太相信。你知道，我們從小學的都是國民黨的宣傳，覺得大陸非常可怕。但是我還是來了，想看一看。一看嚇了一跳，上海這麼發達，所以我就把我的一個工廠搬過來。

記者：　您這幾年經營的情況怎麼樣？

　鄭：　不錯啊。現在我們公司生產的節能燈已經佔世界市場的百分之三十左右，上海生產的佔差不多一半。跟中國其他地方比起來，上海的工人文化水平比較高，工資比台灣低一些，土地的租金也比較低。我們公司的主要盈利是在上海。

記者：　您全家都搬到上海來了嗎？

　鄭：　開始的時候是我一個人過來的。後來太太和孩子也都過來了。我在這兒也買了房，所以我現在既是台北人，也是上海人。

記者：　您在上海有沒有什麼不習慣的地方？

　鄭：　我大兒子剛過來的時候，發現你們這裏的學校用的是簡體字和拼音，跟我們台灣地區不一樣，他很不適應。其實上海的學校很不錯，質量並不一定比台北差。後來，我們台商辦了自己的學校，這個問題就解決了。現在我的老二就记者：　郑先生，您是什么时候来上海的？

郑：　我嘛，我第一次是1995年。那个时候一个朋友对我说，上海蛮有前途的，我不太相信。你知道，我们从小学的都是国民党的宣传，觉得大陆非常可怕。但是我还是来了，想看一看。一看吓了一跳，上海这么发达，所以我就把我的一个工厂搬过来。

记者：　您这几年经营的情况怎么样？

郑：　不错啊。现在我们公司生产的节能灯已经占世界市场的百分之三十左右，上海生产的占差不多一半。跟中国其他地方比起来，上海的工人文化水平比较高，工资比台湾低一些，土地的租金也比较低。我们公司的主要盈利是在上海。

记者：　您全家都搬到上海来了吗？

郑：　开始的时候是我一个人过来的。后来太太和孩子也都过来了。我在这儿也买了房，所以我现在既是台北人，也是上海人。

记者：　您在上海有没有什么不习惯的地方？

郑：　我大儿子刚过来的时候，发现你们这里的学校用的是简体字和拼音，跟我们台湾地区不一样，他很不适应。其实上海的学校很不错，质量并不一定比台北差。后来，我们台商办了自己的学校，这个问题就解决了。现在我的老二就在普通的小學裏學習，我想好了，學簡體字也沒有關係，將來就讓他上北京大學或者清華大學。老三呢，在上英文學校。你知道，上海有很多這種英文學校，老師主要是從美國和澳洲來的，將來我會送他到美國去上大學。

記者： 您希望台灣和大陸統一嗎？

鄭： 我知道你會問這個問題。我是商人，不是政治家，你這個問題應該去讓政治家回答。不過，我最希望的是"三通"。現在我們來回都要經過香港或者東京，這會浪費很多時間。三通以後，台北到上海只要兩個小時，而且我們的產品成本會進一步降低。總之，我希望兩岸的關係越來越好。

在普通的小学里学习，我想好了，学简体字也没有关系，将来就让他上北京大学或者清华大学。老三呢，在上英文学校。你知道，上海有很多这种英文学校，老师主要是从美国和澳洲来的，将来我会送他到美国去上大学。

记者：您希望台湾和大陆统一吗？

郑：我知道你会问这个问题。我是商人，不是政治家，你这个问题应该去让政治家回答。不过，我最希望的是"三通"。现在我们来回都要经过香港或者东京，这会浪费很多时间。三通以后，台北到上海只要两个小时，而且我们的产品成本会进一步降低。总之，我希望两岸的关系越来越好。

# New Words

| 台商 | | tāishāng | n. | abbreviation for "台湾商人" |
|---|---|---|---|---|
| 党 | 黨 | dǎng | n. | (political) party |
| 大陆 | 大陸 | dàlù | n. | Mainland China |
| 官方 | | guānfāng | a. | official |
| 改善 | | gǎishàn | v./n. | improve; improvement |
| 投资 | 投資 | tóuzī | v./n. | invest; investment |
| 常驻★ | 常駐 | chángzhù | v. | reside permanently |
| 超过 | 超過 | chāoguò | v. | surpass, over |
| 郑伯龙 | 鄭伯龍 | Zhèng Bólóng | p.n. | name of a person |
| 蛮△ | 蠻 | mán | adv. | very, quite (colloquial usage for "很") |
| 前途 | | qiántú | n. | future, prospect |
| 国民党 | 國民黨 | Guómíndǎng | p.n. | Nationalist Party (KuoMinTang) |
| 宣传 | 宣傳 | xuānchuán | n. | propaganda |
| 可怕 | | kěpà | a. | horrible, frightful |
| 台北 | | Táiběi | p.n. | Taipei |
| 搬 | | bān | v. | move |
| 经营 | 經營 | jīngyíng | v./n. | manage, run (business); management |
| 节能灯 | 節能燈 | jiénéngdēng | n. | energy-saving bulb |
| 占 | 佔 | zhàn | v. | occupy, account |
| 工人 | | gōngrén | n. | worker |
| 租金 | 租金 | zūjīn | n. | rent |
| 盈利 | | yínglì | v./n. | profit; make profits |
| 全家 | | quánjiā | n. | the whole family |
| 适应 | 適應 | shìyìng | v. | be used to, get adjusted |
| 普通 | 普通 | pǔtōng | a. | ordinary |

台商在上海 19

| 将来 | 將來 | jiānglái | *adv.* | in the future |
|---|---|---|---|---|
| 清华 | 清華 | Qīnghuá | *p.n.* | Tsing Hua University |
| 澳洲 | | Àozhōu | *p.n.* | Australia |
| 统一 | 統一 | tǒngyī | *v.* | unite, unify |
| 政治家 | | zhēngzhìjiā | *n.* | statesman, politician |
| 三通 | | sāntōng | *n.* | "three communications" (direct postal, commercial, and flight connections between Mainland China and Taiwan) |
| 香港 | | *Xiānggǎng* | *n.* | *Hong Kong* |
| 东京 | 東京 | *Dōngjīng* | *n.* | *Tokyo* |
| 成本 | | chéngběn | *n.* | (manufacuturing, production) cost |
| 进一步 | 進一步 | jìnyībū | *adv.* | further |
| 两岸★ | 兩岸 | liǎng'àn | *n.* | cross-straits, between Mainland China and Taiwan |

# General Review: Taiwan Guoyu versus Mainland Putonghua

Due to the recent linguistic and political history of China, there have come to be in common use several competing terms to refer to Mandarin. In China, the official term for "Mandarin" is 普通話 / 普通话, common speech. 國語 / 国语, national language, was used in all of mainland China from 1918 until the 1950s. It is still used in Chinese Taiwan and Hong Kong today.

Although mostly the same, there are a few minor differences between Taiwan, China 國語/国语 and Beijing普通話/普通话. They may use different words for the same thing. Listed below are some examples:

| 台灣 / 台湾 | 大陸 / 大陆 | 英文 |
|---|---|---|
| 蕃茄 | 西紅柿/西红柿 | tomato |
| 計程車/计程车 | 出租車/出租车 | Taxi |
| 便當/便当 | 盒飯/盒饭 | lunch box |

| | | |
|---|---|---|
| 資訊/资讯 | 信息 | information |
| 網路/网路 | 網絡/网络 | Internet |
| 布希 | 布什 | George W. Bush |

In other cases, there are different usages of the same word. For example, in Beijing *Putonghua*, 成長/成长 can only mean the growth of a person or an institution. For economic growth, you have to say 增長/增长. But in Taiwan *Guoyu*, it is standard to use 成長/成长 to describe economic growth.

Another example is the usage of 比較/比较. In Taiwan *Guoyu*, it is standard to say 比較不好/比较不好 or 比較沒意思/比较没意思. In Beijing *Putonghua*, 比較/比较 cannot be followed by negative words. You have to say 不太好，不太有意思 instead.

句 型

# Sentence Patterns

① NP1 占 (NP2 的 ) + [ digit number 分之 digit number]

(NP1 occupy [ digit number 分之 digit number] of NP2)

例 我们的节能灯占世界市场的 30% 左右。
Our energy-saving bulbs take up about 30 percent of the world's market.

例 我们公司上海生产的节能灯占全部的一半左右。
About one half of our company's energy-saving bulbs are produced in Shanghai. (Literally, The energy-saving bulbs produced in Shanghai take up about one half of the total number of bulbs produced by our company.)

② 习惯 v.s. 适应

习惯, literally meaning "habit" as a noun, can also be used as a verb, which means "be used to."

适应, mostly used as a verb, means "adjusted" or "to adapt to."

例 来到上海以后，我没有什么不习惯的地方。

There wasn't anything I couldn't get used to after coming to Shanghai.

例 来到中国以后，在吃的方面你习惯吗？

Have you gotten used to the food since coming to China?

例 刚开始学简体字的时候，我很不适应，但是两个星期后，就适应多了。

I was very uncomfortable when I first started to learn simplified characters, but I could adjust much better after two weeks.

例 我来麻州已经三年了，冬天这么冷的天气我已经适应了。

I have been in Massachusetts for three years and have already adjusted to such cold weather in winter.

## ③ Sb 刚 V 的时候，S  (When Sb just VP, S)

例 你刚到上海的时候，有没有什么不习惯的地方？

Was there something you weren't used to when you first came to Shanghai?

例 我儿子刚从台湾过来的时候，他很不适应。

When my son had just come from Taiwan, China he was very uncomfortable.

## Other Notes

### 蠻/蛮

As an adverb

Mainly used in Taiwan, China, Shanghai, and some other parts of Southern China (also written as 滿/满). Its meaning is similar to 很 but often carries the connotation of satisfaction. The most typical usage is 蠻/蛮 + adj. + 的.

● 那家飯館的菜蠻好吃的。
那家饭馆的菜蛮好吃的。

● 那個公寓我去看了，屋子蠻大的，但是離學校太遠了。
那个公寓我去看了，屋子蛮大的，但是离学校太远了。

### 北京大學/北京大学 v.s. 清華大學/清华大学

The two top universities in China, which are both located in Beijing. Due to historical reasons, the American government used reparations they received from China to build 清華大學/清华大学 in Beijing in 1911. After "the Republic of China" moved to Taiwan, China in 1949, the University was re-installed in 1956 in Hsinchu, Taiwan. It is also one of the most prestigious universities in Taiwan, China. Therefore, you will find one清華大學/清华大学 in Beijing and the other one in Taiwan, China.

### 三通

三通 means "通郵、通商、通航" / "通邮、通商、通航". Literally, it means the direct communications of post, commerce and flight. Because of the political standoff between China and Taiwan, China, there are no direct communications regarding these three matters so far. Passengers taking airplanes have to transfer, according to the textbook, either in Hong Kong or in Japan.

## 书面作业
# Writing Tasks

I.  **Translate the following into Chinese.**

Although the official relationship between Chinese Taiwan and the Mainland has not improved, business interactions (互动: hùdòng) and cultural exchanges (交流: jiāoliú) across the Taiwan Straits have increased steadily over the last ten years. Today the number of Taiwanese businessmen who are permanent residents in Shanghai has reached as high as half a million. Many Taiwanese companies moved to Shanghai to take the advantage of the low costs of operations (yíngyùn: 营运): wages are lower, rent is cheaper, and the quality of workers is better.

II.  **Make a sentence by using the word provided. Pay special attention to the difference between the words.**

1. 适应 V.S.习惯

   适应: _____

   习惯: _____

2. 可怕V.S.害怕V.S恐怕

   可怕: _____

   害怕: _____

   恐怕: _____

記者：我對中國改革開放以來經濟方面的成就非常欽佩，但是二十多年來，中國的人權狀況卻沒有明顯的改善。

學者：我不同意你的看法。雖然中國在人權方面還有一些問題，但是二十年來的進步是明顯的。

記者：你有什麼 證據？

學者：改革以前，中國有幾億人口沒有解決溫飽問題。經過短短幾年的努力，這個數字已經下降到幾千萬。

記者：你所說的仍然是經濟方面的進步。全世界都承認中國的進步，但是經濟的進步並不等於人權的改善。

學者：這牽涉到對於人權的理解問題。在我們看來，人權首先是生存的權利。如果一個人吃不飽、穿不暖，別的權利對他來說沒有什麼意義。

記者：難道人只需要有東西吃、有衣服穿就夠了嗎？如果一個人沒有起碼的民主和自由，只是吃得飽、穿得暖，那他和動物園裏的動物有什麼區別呢？

學者：請不要歪曲我的看法。我是說，生存權是人的最基本的權利，但我並不否認人應該享有其它的權利，包括政治上的權利。在這一方面，中國的人權狀況並不一定比美國差。

記者：我認為美國的人權狀況比中國好得多，美國的總統是由選民選舉出來的，而中國的主席和總理都是由像毛澤東和鄧小平這樣的共產黨的高級領導人決定的。

學者：你說的並不正確。中國的領導人是由全國人民代表大會決定的，而人民代表大會的代表是由人民選舉出來记者： 我对中国改革开放以来经济方面的成就非常钦佩，但是二十多年来，中国的人权状况却没有明显的改善。

学者： 我不同意你的看法。虽然中国在人权方面还有一些问题，但是二十年来的进步是明显的。

记者： 你有什么证据？

学者： 改革以前，中国有几亿人口没有解决温饱问题。经过短短几年的努力，这个数字已经下降到几千万。

记者： 你所说的仍然是经济方面的进步。全世界都承认中国的进步，但是经济的进步并不等于人权的改善。

学者： 这牵涉到对于人权的理解问题。在我们看来，人权首先是生存的权利。如果一个人吃不饱、穿不暖，别的权利对他来说没有什么意义。

记者： 难道人只需要有东西吃、有衣服穿就够了吗？如果一个人没有起码的民主和自由，只是吃得饱、穿得暖，那他和动物园里的动物有什么区别呢？

学者： 请不要歪曲我的看法。我是说，生存权是人的最基本的权利，但我并不否认人应该享有其它的权利，包括政治上的权利。在这一方面，中国的人权状况并不一定比美国差。

记者： 我认为美国的人权状况比中国好得多，美国的总统是由选民选举出来的，而中国的主席和总理都是由像毛泽东和邓小平这样的共产党的高级领导人决定的。

学者： 你说的并不正确。中国的领导人是由全国人民代表大会决定的，而人民代表大会的代表是由人民选举出来的，難道這不是民主制度嗎？

記者：恕我直言，貴國的人民代表大會只是走走形式，不能真正解決任何重要的政治問題。沒有反對黨的選舉不可能是真正的民主。

學者：你們美國的選舉就能真正代表人民的意志嗎？在我看來，美國的政治領導人是通過金錢來製造輿論、拉選票。很多美國人對這種選舉制度已經失去了信心，所以根本不去投票。

記者：我們談談別的問題吧。貴國現在還有不少政治犯，這很清楚地說明，中國政府不讓人民自由發表自己的政治觀點。我認為，這是踐踏人的基本權利。

學者：你所說的政治犯是一些反對憲法，主張推翻政府，製造社會動亂的人。政府這麼做是為了保護大多數中國人的利益。

記者：我很難同意你的觀點。我認為這是以安定為藉口來壓制人的自由。人的自由是神聖的，不能用任何藉口來加以限制。

學者：在任何社會中，個人都不可能享有絕對的自由。如果你做的事情會影響別人，你就不應該以自由和人權為藉口來損害多數人的利益。美國有很多地方禁止吸煙，這不是也壓制了吸煙者的自由嗎？

記者：你說的是另外一種"自由"的問題，和我所說的不一樣。很多人的基本權利在中國受到壓制，這是明顯的事實。比如，中國政府的強迫墮胎政策，在我們西方的，难道这不是民主制度吗？

记者：恕我直言，贵国的人民代表大会只是走走形式，不能真正解决任何重要的政治问题。没有反对党的选举不可能是真正的民主。

学者：你们美国的选举就能真正代表人民的意志吗？在我看来，美国的政治领导人是通过金钱来制造舆论、拉选票。很多美国人对这种选举制度已经失去了信心，所以根本不去投票。

记者：我们谈谈别的问题吧。贵国现在还有不少政治犯，这很清楚地说明，中国政府不让人民自由发表自己的政治观点。我认为，这是践踏人的基本权利。

学者：你所说的政治犯是一些反对宪法，主张推翻政府，制造社会动乱的人。政府这么做是为了保护大多数中国人的利益。

记者：我很难同意你的观点。我认为这是以安定为借口来压制人的自由。人的自由是神圣的，不能用任何借口来加以限制。

学者：在任何社会中，个人都不可能享有绝对的自由。如果你做的事情会影响别人，你就不应该以自由和人权为借口来损害多数人的利益。美国有很多地方禁止吸烟，这不是也压制了吸烟者的自由吗？

记者：你说的是另外一种"自由"的问题，和我所说的不一样。很多人的基本权利在中国受到压制，这是明显的事实。比如，中国政府的强迫堕胎政策，在我们西方人看來是完全不能接受的。

學者：應當指出，把中國的計劃生育政策稱為強迫墮胎政策，
這是嚴重的歪曲。我不懂美國為什麼要反對中國的計
劃生育政策。如果中國不對人口加以控制，一定會造
成更多的環境和就業問題。這不僅會影響中國的發
展，而且也會成為世界不穩定的因素。你想，如果中
國人口過多，大量向海外移民，美國會不會歡迎呢？

記者：看來，我們彼此都不能說服對方，那就保留自己的看
法吧。

學者：好，既然不能求同，那就存異吧。

人看来是完全不能接受的。

学者：应当指出，中国的计划生育政策称为强迫堕胎政策，这是严重的歪曲。我不懂美国为什么要反对中国的计划生育政策。如果中国不对人口加以控制，一定会造成更多的环境和就业问题。这不仅会影响中国的发展，而且也会成为世界不稳定的因素。你想，如果中国人口过多，大量向海外移民，美国会不会欢迎呢?

记者：看来，我们彼此都不能说服对方，那就保留自己的看法吧。

学者：好，既然不能求同，那就存异吧。

# New Words

| | | | | |
|---|---|---|---|---|
| 学者 | 學者 | xuézhě | *n.* | scholar |
| 人权 | 人權 | rénquán | *n.* | human rights |
| 钦佩 | 欽佩 | qīnpèi | *v.* | appreciate deeply, admire |
| 状况 | 狀況 | zhuàngkuàng | *n.* | state, situation |
| 进步 | 進步 | jìnbù | *n./v.* | progress; make progress |
| 证据 | 證據 | zhèngjù | *n.* | proof, evidence |
| 温饱★ | 溫飽 | wēnbǎo | *n.* | (literally, warm and full) clothing and food |
| 承认 | 承認 | chéngrèn | *v.* | admit, recognize |
| 牵涉★ | 牽涉 | qiānshè | *v.* | involve |
| 理解 | | lǐjiě | *n.* | comprehension |
| 生存 | | shēngcún | *n./v.* | survival; survive |
| 暖 | | nuǎn | *a.* | warm |
| 民主 | | mínzhǔ | *n.* | democracy |
| 自由 | | zìyóu | *n.* | freedom |
| 动物园 | 動物園 | dòngwùyuán | *n.* | zoo |
| 区别★ | 區別 | qūbié | *n.* | difference, distinction |
| 基本 | | jīběn | *a.* | basic, fundamental |
| 否认 | 否認 | fǒurèn | *v.* | deny |
| 享有★ | | xiǎngyǒu | *v.* | enjoy (rights) |
| 总统 | 總統 | zǒngtǒng | *n.* | president (of a country) |
| 选民 | 選民 | xuǎnmín | *n.* | voter |
| 总理 | 總理 | zǒnglǐ | *n.* | premier |
| 邓小平 | 鄧小平 | *Dèng Xiǎopíng* | *p.n.* | *name of a person* |
| 共产党 | 共產黨 | Gòngchǎndǎng | *n.* | the Communist Party |
| 领导人 | 領導人 | lǐngdǎorén | *n.* | leader |

| 正确 | 正確 | zhèngquè | a. | correct |
| 代表 | | dàibiǎo | n./v. | representative; represent |
| 制度 | | zhìdù | n. | system |
| 恕我直言★ | | shùwǒzhíyán | phr. | excuse me for speaking frankly |
| 贵国★ | 貴國 | guìguó | n. | your honorable country (polite form) |
| 走形式 | | zǒuxíngshì | v. | go through formalities |
| 反对 | 反對 | fǎnduì | v. | oppose |
| 反对党 | 反對黨 | fǎnduìdǎng | n. | opposition party |
| 意志 | | yìzhì | n. | will |
| 制造 | 製造 | zhìzào | v. | produce, to make |
| 舆论 | 輿論 | yúlùn | n. | public opinion |
| 制造舆论 | 製造輿論 | zhìzào yúlùn | v. | whip up public opinion |
| 拉 | 拉 | lā | v. | canvass, pull |
| 选票 | 選票 | xuǎnpiào | n. | vote |
| 拉选票 | 拉選票 | lā xuǎnpiào | v. | canvass votes |
| 失去 | | shīqù | v. | lose |
| 信心 | | xìnxīn | n. | confidence |
| 政治犯 | | zhèngzhìfàn | n. | political prisoner |
| 说明 | 說明 | shuōmíng | v. | illustrate, explain |
| 发表 | 發表 | fābiǎo | v. | post, publish |
| 观点 | 觀點 | guāndiǎn | n. | viewpoint |
| 践踏 | 踐踏 | jiàntà | v. | trample on |
| 宪法 | 憲法 | xiānfǎ | n. | the Constitution |
| 推翻 | | tuīfān | v. | overthrow |
| 动乱 | 動亂 | dòngluàn | n. | riot |

| 利益 | | lìyì | n. | interest, benefit |
|---|---|---|---|---|
| 借口 | 藉口 | jièkǒu | n. | excuse, pretext |
| 压制 | 壓制 | yāzhì | n./v. | suppression; suppress, inhibit |
| 神圣 | 神聖 | shénshèng | a. | sacred |
| 个人 | 個人 | gèrén | n. | individual |
| 绝对 | 絕對 | juéduì | a. | absolute |
| 损害 | 損害 | sǔnhài | n./v. | damage |
| 禁止★ | | jìnzhǐ | v. | prohibit |
| 吸烟者★ | 吸煙者 | xīyānzhě | n. | smoker |
| 比如 | | bǐrú | phr. | for instance |
| 强迫 | 強迫 | qiǎngpò | v. | coerce |
| 堕胎 | 墮胎 | duòtāi | n./v. | abortion; abort |
| 接受 | | jiēshòu | v. | accept |
| 计划生育 | 計劃生育 | jìhuàshēngyù | n. | literally, planned birth. Namely, birth control |
| 控制 | | kòngzhì | v. | control |
| 环境 | 環境 | huánjìng | n. | environment |
| 就业 | 就業 | jiùyè | n. | employment |
| 稳定 | 穩定 | wěndìng | a. | stable |
| 因素 | | yīnsù | n. | factor |
| 海外 | | hǎiwài | n./a. | the overseas; overseas |
| 移民 | | yímín | v./n. | immigrate; immigration, immigrant |
| 彼此★ | | bǐcǐ | adv. | each other |
| 对方 | 對方★ | duìfāng | n. | counterpart, the other person involved |
| 保留 | | bǎoliú | v. | retain, to reserve |
| 既然 | | jìrán | conj. | since |
| 求同存异 | 求同存異★ | qiútóngcúnyì | v. | seek agreement but tolerate differences |

# Informal Speech

In written language or formal speech, it is quite common to nominalize an action and use it as the object of another verb expressing "implementation" or "execution". The most typical structure is 對/对 + object of action + implementation verb (加以……) + nominalized action. The action noun should consist of two characters. After the change, the tone of the sentence becomes more formal. This pattern is frequently used in writing or speech on political or academic topics. Examples:

● 這位記者認為，人的自由是神聖的，不能用任何藉口來限制人的自由。(colloquial)
这位记者认为，人的自由是神圣的，不能用任何借口来限制人的自由。
這位記者認為，人的自由是神聖的，不能用任何藉口來加以限制。(nominalization)
这位记者认为，人的自由是神圣的，不能用任何借口来加以限制。

● 如果不控制人口，……(colloquial)
如果不對人口加以控制，……(nominalization)
如果不对人口加以控制，……

## 句型

# Sentence Patterns

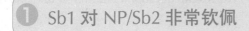

**① Sb1 对 NP/Sb2 非常钦佩**     (Sb1 admires NP/Sb2 very much)

This is the formal expression to show one's admiration for NP/Sb. Colloquially, you can say "Sb1 非常钦佩 NP/Sb2."

例 我对中国改革开放以来经济上的成就非常钦佩。

I very much admire China's economic achievements since the reform and "opening up."

例 我对踏踏实实努力工作的人非常钦佩。

I very much admire those people who work diligently with their feet on the ground.

**2** NP 有了/没有明显的改善/进步    (NP have/does not have an obvious improvement/progress)

In this pattern, NP is usually a problem, a situation or an aspect.

例 这个记者认为，二十多年来，中国的人权状况并没有明显的改善。

This reporter thinks that China's human rights situation has not made any visible improvements in the last twenty years.

例 民进党执政以后，两岸关系并没有明显的改善。

There haven't been any obvious improvements in cross-strait relations since the Democratic Progress Party came into power.

**3** NP1 等于NP2    (NP1 equals to NP2)

例 物质的丰富并不等于精神文明的进步。

Economic advancement does not equal improvements in spirtual civization.

例 不打小孩并不等于你可以溺爱小孩。

Not spanking your kids does not mean that you can spoil them.

**4** NP1 牵涉到 NP2    (NP1 involves NP2)

NP2 usually refers either to people or problems involved.

例 中国的人权是否改善牵涉到对于人权的理解问题。

Whether human rights have improved in China involves the question of how you understand human rights.

例 离婚的问题很复杂，因为它牵涉到很多问题，例如夫妻问题、小孩的教育问题等等。

The issue of divorce is complicated because it involves many issues, such as issues of the husband-wife [relationship] and children's education.

**5** NP1 并不一定比 NP2 + adj    (NP1 is not necessarily more adj than NP2)

例 这位学者认为，中国的人权状况并不一定比美国差。

This scholar thinks that the human rights situation in America is not necessarily better than the situation in China.

例 这位台商来上海后吓了一跳，因为他发现在生活条件方面，上海并不比台北差。

This Taiwanese merchant was surprised after coming to Shanghai because he realized that living conditions in Taibei are not necessarily better than those in Shanghai.

**6**
(1) Sb1 是由 Sb2 选举出来的

(2) Sb1/NP 是由 Sb2 决定的

(Sb1 was elected by Sb2)

(Sb1/NP is decided/determined by Sb2)

In (2), Sb1 usually refers to a position.

例 美国的总统是由选民选举出来的。

America's president is elected by the voters.

例 中国的领导人是由全国人民代表大会决定的。

China's leaders are decided upon by the National People's Congress.

**7** Sb 通过 NP 来 VP

(Sb VP through/by means of NP)

例 美国的领导人经常通过金钱来制造舆论。

America's leaders often whip up public opinion by means of money.

例 中医通过看舌苔和号脉来知道病人的问题。

Practitioners of Chinese medicine come to know the patients' problems by looking at their tongue coating and feeling their pulse.

**8** Sb 以 NP 为借口来 VP

(Sb take NP as an excuse to VP)

例 这是以安定为借口来压制人的自由。

This is using stability as an excuse to repress people's freedom.

例 你不应该以自由为借口来损害多数人的利益。

You shouldn't use freedom as an excuse to harm the rights and benefits of the majority.

**⑨ 如果S，Sb 就 VP**　　(If S1, then Sb VP)

Here, 就 indicates the possible outcome on the condition of S.

例 如果你做的事情会影响别人，你就不应该以自由为借口来损害多数人的利益。

If what you do will affect others [negatively], you shouldn't use your freedom as an excuse to damage the interests of many others.

例 如果当时你没说那多余的最后一句话，你就不会和别人发生冲突了！

If at that time you hadn't said that last extra sentence, you wouldn't have gotten into a conflict with the others.

**⑩ 禁止 VP**　　(VP prohibited; No Ving)

例 美国很多地方禁止吸烟。

Smoking is prohibited in many places in the United States.

例 中国的网吧门口常常写着"中小学生禁止进入"。

It's often posted on the door of Internet bars in China that "Entry is Denied to Middle and Elementary School Students."

**⑪ 既然 S1，那 S2**　　(Since S1, then S2)

In this pattern, S2 often goes with 就 .

例 既然我们不能求同，那就存异吧！

Since we can't come to an agreement, let's tolerate our differences.

例 既然我们彼此都不能说服对方，那就保留自己的看法吧！

Since we can't persuade each other, let's each reserve our opinions.

# Writing Tasks

I.  Use the expressions provided to translate the following sentences.

1.  Please pardon me for speaking frankly, "The premier of your honorable country (polite form) whipped up the public opinion and canvassed votes with money."

2.  To us Westerners, China's notorious "coercive abortion policy" is totally unacceptable.

3.  This matter involves the issue of the people's right of survival. In fact, the government has solved the problem of people's basic survival needs (clothing and food).

4.  Although the government used "protecting the interests of the majority of the people" as an excuse to suppress this political movement, it would have been bound to cause more damage to the country if the government hadn't brought the situation under control.

II.  Use the words listed below to write 2 paragraphs. Each paragraph must be composed of 3-4 sentences and have at least 5-6 new words. Try to use as many terms as you can.

| | | | | | | | | | | |
|---|---|---|---|---|---|---|---|---|---|---|
| 学者 | 人权 | 钦佩 | 状况 | 进步 | 证据 | 温饱 | 承认 | 牵涉 | 理解 | 生存 |
| 民主 | 自由 | 区别 | 基本 | 否认 | 享有 | 总统 | 选民 | 总理 | 制造 | 舆论 |
| 失去 | 信心 | 发表 | 观点 | 践踏 | 动乱 | 利益 | 借口 | 压制 | 神圣 | 个人 |
| 绝对 | 损害 | 禁止 | 比如 | 强迫 | 接受 | 就业 | 领导人 | 正确 | 代表 | 制度 |
| 反对 | 意志 | 环境 | 恕我直言 | | | | | | | |

**Example:** 最近一些学者发表了对中国人权问题的看法。他们钦佩中国在经济方面的快速发展和进步，但他们认为中国实行全面的民主只能根据中国的国情逐步推进。

# 變化中的中國報紙
## 变化中的中国报纸
### 21

最近十多年來，中國的報紙發生了很大的變化。

過去，中國的報紙比較短，一般只有四版到八版，所以報紙的量詞是"張"。現在，中國報紙上的廣告越來越多。平常的報紙一般都有幾十頁，要是到了節日，可能會有上百頁。因此，現在的報紙，一般用"份"來作量詞了。

過去，中國報紙上的"好消息"多。因為有人擔心，壞消息太多會使人民喪失信心。根據這種原則，即使發生了一件壞事，也只能報導它好的方面。例如，發生了一場火災，報紙常常不說有多少人喪生，多少財產損失，而是描寫消防隊員的英勇頑強。現在，雖然一些主要報紙，仍然是以報導好消息和重要新聞為主，如國家元首出訪、經濟建設的成就等。但是不少別的報紙的頭版頭條卻常常是一些駭人聽聞的消息，比如兇殺或重大交通事故等等。

中國的晚報特別發達，這種報紙每天下午四點左右出版。根據最近的一次問卷調查，最受歡迎的就是晚報。其中最有名的是北京的《北京晚報》，上海的《新民晚報》，廣州的《羊城晚報》。上海的讀者中，有64%的人最喜歡看《新民晚報》。其他兩個城市的情況也差不多。對很多人來說，每天看晚報是必不可少的，不看晚報心裏難受。很多已經移民到美國的上海人，還繼續訂閱《新民晚報》。為什麼大家這麼喜歡晚報呢？

首先，晚報的內容常常和日常生活密切相關，例如最近的颱風會不會使蔬菜的價格提高，今年的高考升學率和去年比起來有什麼變化，哪一位流行歌手又出了什麼新歌等等。

最近十多年来，中国的报纸发生了很大的变化。

过去，中国的报纸比较短，一般只有四版到八版，所以报纸的量词是"张"。现在，中国报纸上的广告越来越多。平常的报纸一般都有几十页，要是到了节日，可能会有上百页。因此，现在的报纸，一般用"份"来作量词了。

过去，中国报纸上的"好消息"多。因为有人担心，坏消息太多会使人民丧失信心。根据这种原则，即使发生了一件坏事，也只能报导它好的方面。例如，发生了一场火灾，报纸常常不说有多少人丧生，多少财产损失，而是描写消防队员的英勇顽强。现在，虽然一些主要报纸，仍然是以报导好消息和重要新闻为主，如国家元首出访、经济建设的成就等。但是不少别的报纸的头版头条却常常是一些骇人听闻的消息，比如凶杀或重大交通事故等等。

中国的晚报特别发达，这种报纸每天下午四点左右出版。根据最近的一次问卷调查，最受欢迎的就是晚报。其中最有名的是北京的《北京晚报》，上海的《新民晚报》，广州的《羊城晚报》。上海的读者中，有64%的人最喜欢看《新民晚报》。其它两个城市的情况也差不多。对很多人来说，每天看晚报是必不可少的，不看晚报心里难受。很多已经移民到美国的上海人，还继续订阅《新民晚报》。为什么大家这么喜欢晚报呢？

首先，晚报的内容常常和日常生活密切相关，例如最近的台风会不会使蔬菜的价格提高，今年的高考升学率和去年比起来有什么变化，哪一位流行歌手又出了什么新歌等等。

在晚報上，也常有一些來自群眾的批評，比如某商店賣假貨、假名牌，某條街道的紅綠燈壞了沒人修之類。晚報刊登的文章常常有很濃的地方色彩和文化背景，可讀性強。另外，小說連載對許多讀者也有特別的吸引力。

除了晚報以外，中國還有不少非常受歡迎的專業報。例如《法制報》刊登各種法律新聞。《球迷報》，當然是球迷最喜歡的報紙。最近幾年最活躍的是經濟方面的報紙，像《市場報》、《經濟日報》和《股票報》等等，都有很多的讀者。

另外有一種報紙叫文摘報，這是東拼西湊的報紙。為了多賣，一定要刊登一些聳人聽聞的消息，例如某個電影明星自殺未遂之類。這種報紙上的消息當然很不可信。幾年前，我看到一張小報上說美國的科學家培育了一種西紅柿，營養和味道都和牛肉一樣。至於某人遇到外星人，哪個地方又發現活恐龍之類，幾乎天天都可以看到。雖然這些消息不可信，但讀起來有意思，很多人常買這種報紙來消磨時光。

中國報紙上的國際新聞不少，報導的方式和美國很不一樣。美國報紙一般只報導和美國有關係的重要國際新聞。中國的國際政策是，國家不論大小，一律平等。美國總統選舉的結果和一個非洲小國的經濟發展，常常用同樣的篇幅報導。美國報紙通常只報導美國國內的體育新聞，但是在中國報紙上，不論是大報還是小報，世界各地的體育新聞都有，有美國的 NBA，有義大利的足球聯賽，還有日本的相撲。

在語言方面，美國的報紙通常使用和口語比較接近的在晚报上，也常有一些来自群众的批评，比如某商店卖假货、假名牌，某条街道的红绿灯坏了没人修之类。晚报刊登的文章常常有很浓的地方色彩和文化背景，可读性强。另外，小说连载对许多读者也有特别的吸引力。

除了晚报以外，中国还有不少非常受欢迎的专业报。例如《法制报》刊登各种法律新闻。《球迷报》，当然是球迷最喜欢的报纸。最近几年最活跃的是经济方面的报纸，像《市场报》、《经济日报》和《股票报》等等，都有很多的读者。

另外有一种报纸叫文摘报，这是东拼西凑的报纸。为了多卖，一定要刊登一些耸人听闻的消息，例如某个电影明星自杀未遂之类。这种报纸上的消息当然很不可信。几年前，我看到一张小报上说美国的科学家培育了一种西红柿，营养和味道都和牛肉一样。至于某人遇到外星人，哪个地方又发现活恐龙之类，几乎天天都可以看到。虽然这些消息不可信，但读起来有意思，很多人常买这种报纸来消磨时光。

中国报纸上的国际新闻不少，报导的方式和美国很不一样。美国报纸一般只报导和美国有关系的重要国际新闻。中国的国际政策是，国家不论大小，一律平等。美国总统选举的结果和一个非洲小国的经济发展，常常用同样的篇幅报导。美国报纸通常只报导美国国内的体育新闻，但是在中国报纸上，不论是大报还是小报，世界各地的体育新闻都有，有美国的 NBA，有意大利的足球联赛，还有日本的相扑。

在语言方面，美国的报纸通常使用和口语比较接近的語言，而中國的報紙通常使用典型的書面語。不論是詞彙還是語法，都和口語不太一樣。因此，對學中文的外國學生來說，想看得懂中國報紙並不是一件容易的事。

语言，而中国的报纸通常使用典型的书面语。不论是词汇还是语法，都和口语不太一样。因此，对学中文的外国学生来说，想看得懂中国报纸并不是一件容易的事。

# 生 词
# New Words

| 发生 | 發生 | fāshēng | v. | happen, occur, take place |
|---|---|---|---|---|
| 版 | | bǎn | n. | page (of a newspaper) |
| 量词 | 量詞 | liàngcí | n. | measure word |
| 页 | 頁 | yè | n. | page |
| 节日 | 節日 | jiérì | n. | holiday, festival |
| 上 | | shàng | adv. | up to |
| 因此 | | yīncǐ | adv. | for this reason, therefore |
| 消息 | | xiāo·xi | n. | news, information |
| 丧失 | 喪失 | sàngshī | v. | lose |
| 即使 | | jíshǐ | conj. | even if, even though |
| 报导 | 報導 | bàodǎo | n./v. | report |
| 火灾 | 火災 | huǒzāi | n. | fire accident |
| 丧生 | 喪生 | sàngshēng | v. | lose life |
| 财产 | 財產 | cáichǎn | n. | property |
| 损失 | 損失 | sǔnshī | n. | loss |
| 消防队员 | 消防隊員 | xiāofángduìyuán | n. | fire fighter |
| 英勇顽强★ | 英勇頑強 | yīngyǒngwánqiáng | n./a. | bravery and courage; brave |
| 元首★ | | yuánshǒu | n. | head of state |
| 出访★ | 出訪 | chūfǎng | v. | go abroad to visit other countries |
| 建设 | 建設 | jiànshè | n. | construction |
| 头版头条 | 頭版頭條 | tóubǎntóutiáo | n. | headline on the front page |
| 骇人听闻★ | 駭人聽聞 | hàiréntīngwén | a. | shocking |
| 凶杀 | 兇殺 | xiōngshā | n. | murder |
| 交通 | | jiāotōng | n. | traffic |
| 事故★ | | shìgù | n. | accident |

| 晚报 | 晚報 | wǎnbào | n. | evening newspaper |
|---|---|---|---|---|
| 出版 | | chūbǎn | v. | publish, release |
| 问卷 | 問卷 | wènjuàn | n. | questionnaire |
| 羊城 | | Yángchéng | p.n. | a nickname of Guangzhou |
| 必不可少★ | | bìbùkěshǎo | a. | indispensable |
| 难受 | 難受 | nánshòu | a. | hard to endure, feeling uncomfortable |
| 订阅 | 訂閱 | dìngyuè | v. | subscribe |
| 日常生活 | | rìchángshēnghuó | n. | daily life |
| 密切相关★ | 密切相關 | mìqièxiāngguān | v. | be closely related |
| 台风 | 颱風 | táifēng | n. | typhoon |
| 蔬菜 | | shūcài | n. | vegetable |
| 高考 | | gāokǎo | n. | college entrance examination |
| 升学率 | 升學率 | shēngxuélǜ | n. | college admission rate |
| 来自 | 來自 | láizì | v. | come from |
| 群众 | 群眾 | qúnzhòng | n. | the masses, the public |
| 红绿灯 | 紅綠燈 | hónglǜdēng | n. | traffic signal |
| 修 | | xiū | v. | fix, repair |
| 之类★ | 之類 | zhīlèi | n. | type, category |
| 刊登 | | kāndēng | v. | post, publish |
| 浓 | 濃 | nóng | a. | strong |
| 色彩 | | sècǎi | n. | color, hue |
| 背景 | | bèijǐng | n. | background |
| 可读性 | 可讀性 | kědúxìng | n. | readability |
| 小说连载 | 小說連載 | xiǎoshuōliánzǎi | n. | serialized fiction |
| 吸引力 | | xīyǐnlì | n. | attraction |

| 法制报 | 法制報 | Fǎzhìbào | n. | Legal Daily |
|---|---|---|---|---|
| 迷 | | mí | n. | (suffix) fan |
| 活跃 | 活躍 | huóyuè | a. | active |
| 文摘报 | 文摘報 | wénzhāibào | n. | news digest |
| 东拼西凑★ | 東拼西湊 | dōngpīnxīcòu | v. | scrape together |
| 耸人听闻 | 聳人聽聞 | sǒngréntīngwén | a. | sensational, terrifying |
| 明星 | | míngxīng | n. | star (of movies, etc.) |
| 自杀 | 自殺 | zìshā | v. | suicide |
| 自杀未遂★ | 自殺未遂 | zìshāwèisuì | v. | attempt to suicide but fail |
| 可信 | | kěxìn | a. | credible, believable |
| 培育 | | péiyù | v. | cultivate |
| 西红柿 | 西紅柿 | xīhóngshì | n. | tomato |
| 营养 | 營養 | yíngyǎng | n. | nutrition |
| 牛肉 | | niúròu | n. | beef |
| 外星人 | | wàixīngrén | n. | alien |
| 活 | | huó | a. | live |
| 恐龙 | 恐龍 | kǒnglóng | n. | dinosaur |
| 消磨时光 | 消磨時光 | xiāomóshíguāng | v. | kill time |
| 国际 | 國際 | guójì | a. | international |
| 方式 | | fāngshì | n. | style, mode, pattern |
| 平等 | | píngděng | a. | equal |
| 非洲 | | Fēizhōu | p.n. | Africa |
| 篇幅 | | piānfú | n. | length (of a newspaper) |
| 国内 | 國內 | guónèi | a. | domestic, internal |
| 意大利 | 義大利 | Yìdàlì | p.n. | Italy |

| 足球 | | zúqiú | n. | soccer |
|------|------|------|------|------|
| 联赛 | 聯賽 | liánsài | n. | tournament |
| 相扑 | 相撲 | xiāngpū | n. | sumo |
| 书面语 | 書面語 | shūmiànyǔ | n. | literary-styled written language |
| 词汇 | 詞彙 | cíhuì | n. | vocabulary |
| 语法 | 語法 | yǔfǎ | n. | grammar |

# 句型
# Sentence Patterns

**1** Place 发生 sth　　(Sth happened/occurred in place)

例 最近十多年来，中国的报纸发生了很大的变化。

China's newspapers have undergone great changes in the last decade and a half (literally, in the past ten and some years.).

例 前天学校的某栋宿舍发生了一场火灾。

A fire occurred the day before yesterday in one of the school's dorm buildings.

**2** 上 + 百/千/万/亿 + N　　(up to/over hundred, thousand, ten thousand, one hundred million)

例 报纸一般有几十页，要是遇到了假日，可能会有上百页。

Newspapers generally have several tens of pages, and possibly over a hundred when it comes to holidays.

例 昨天的演唱会有上千人参加。那位歌手一出场，观众掌声雷动。

Up to a thousand people attended yesterday's concert. The audience gave thunderous applause the moment the singer came on stage.

**❸ 即使 S1，S2**  (Even S1, S2)

In this pattern, S2 often goes with 也 or 还是，which means "S2 would still take place even under the condition of S1."

例 过去，中国报纸上的好消息多，即使发生了一件坏事，也只能报导它好的方面。

It was mainly good news that appears in Chinese newspapers in the past. Even when a bad thing happens, only the good aspects of it are reported.

例 即使她不喜欢我，我还是对她一往情深。

Even though she doesn't like me, I'm still deeply in love with her.

**❹ Topic 以 NP 为主**  (NP plays as the main part in Topic)

In this pattern, " 以 NP 为主 " serves as a comment in the topic-comment structure. The NP in the sentence is either a noun or a short verb phrase.

例 有些报纸以报导好消息为主。

Some newspaper mainly reports good news.

例 京剧以"唱"和"打"为主，当然"念"和"做"也很重要。

"Singing" and "martial choreography" are the main parts in Beijing Opera. Of course, "chanting" and "dancing" are also important.

**❺ NP 是必不可少的**  (NP is indispensable)

例 对很多上海人来说，每天看晚报是必不可少的。

Reading the evening papers every day is indispensable to many Shanghainese.

例 对我来说，每天上网看新闻是必不可少的。

I find reading the news online every day indispensable.

**❻ NP1 和 NP2 密切相关**  (NP1 is closely related to NP2)

例 晚报的内容常常和日常生活密切相关。

The contents of the evening papers are always closely related to everyday life.

例 在这位记者看来，民主和人权密切相关。越民主的国家，人民就越有权利。

In this reporter's opinion, democracy is closely related to human rights. The more democratic a nation is, the more rights her people will have.

---

**7  S1, 比如/例如 S2 之类**    (S1, for example, S2 and things of this kind)

In this pattern, S2 is an example of S1.

例 晚报常有一些来自群众的批评，比如某街道红绿灯坏了没人修之类。

The evening papers often contain criticisms coming from the public, such as "nobody is fixing the broken traffic on such-and-such street," or things of this kind.

例 报纸为了多卖，一定要刊登一些耸人听闻的消息，例如某电影明星自杀未遂之类。

In order to sell well, newspapers have to publish some sensational news, such as such-and-such a movie star's attempted suicide, or things of this kind.

---

**8  Topic 有很浓的 NP 色彩**    (Topic has a strong NP color)

In this pattern, "有很浓的 NP 色彩" serves as a comment.

例 晚报刊登的文章有很浓的地方色彩。

Articles published in evening newspapers have a strong local orientation.

例 这本杂志有很浓的政治色彩。

This magazine has a strong political orientation.

---

**9  NP 对 Sb 有(特别的/很大的) 吸引力**    (NP has (special/big) attraction for Sb)

例 小说连载对许多读者有很特别的吸引力。

Serialized fictions have special attraction for many readers.

例 金庸的小说对我有很大的吸引力。

I am strongly attracted to Jin Yong's fiction.

**⑩ 不论是NP1还是NP2，S**    (Whether it's NP1 or NP2, S)

In this pattern, S often goes with 都, since two noun phrases are mentioned in the previous sentence.

例 中国的报纸，无论是大报还是小报，世界各地的体育新闻都有。

Chinese newspapers, whether big or small, have sports news from all over the world.

例 报纸里，不论是词汇还是语法，都和口语不太一样。

In newspapers [the language], whether in terms of vocabulary or grammar, is very different from spoken language.

## Other Notes

### 信心 Confidence

Commonly used compounds: 有信心，沒有信心，充滿信心/充满信心，失去信心. The most important sentence patterns to go with these compounds are 對/对…… 有信心，沒有信心，充滿信心/充满信心，失去信心.

● 這位台商發現上海人對上海未來的發展充滿信心。
這位台商发现上海人对上海未来的发展充满信心。

● 國家不論大小，一律平等
国家不论大小，一律平等

### 至於/至于 as for

● 這次旅行我們以台灣地区為主，至於要不要去香港，到時看情況再說。
这次旅行我们以台湾地区为主，至于要不要去香港，到时看情况再说。

**I.   Filling the blanks.**

| | | | | | |
|---|---|---|---|---|---|
| a. 必不可少 | b. 一律 | c. 密切相关 | d. 可读性 | e. 来自 | f. 为主 |
| g. 东拼西凑 | h. 篇幅 | i. 丧失 | j. 吸引力 | k. 上 | l. 至于 |

1. 中国的晚报很多，大概有（    ）百种。

2. 由于战争的影响，很多人对股票市场（    ）了信心。

3. 他认为要想多卖报纸赚钱，必须以报导坏消息（    ）。

4. 看晚报是他每天生活中（    ）的一个部分。

5. 在《人民日报》上，很少能看到（    ）国外的评论。

6. 他写的这篇论文只是（    ），没有自己的看法。

7. 这个国家的政策是，不论收入多少，（    ）要交税。

8. 在他看来，报纸上的文章必须耸人听闻，（    ）是不是真实可靠，并不特别重要。

9. 《新民晚报》国际新闻的（    ）和体育新闻差不多。

10. 一国的国际关系和元首的外交政策（    ）。

**II.   Translations.**

1. According to a recent survey, evening papers are more popular because they carry news that is closely related to people's everyday life, such as vegetable prices, college admission rates, and local sports, etc.

2. Newspapers that are highly readable not only report serious international news, but also carry articles with strong local flavor.

短新聞
短新闻 22

一個學了三、四年中文的學生往往還是很難看得懂中文的報紙，而且，越是簡短的新聞越難懂。這並不奇怪，因為短新聞常常使用縮略語，詞彙和口語很不一樣，甚至語法也不相同。

　　我們知道，報紙的版面有限。想要在有限的版面上報導很多消息，不能不使用縮略語。比較長的專有名詞一般都有縮略語，比如，"人民代表大會"可以縮略成"人大"，"師範大學"可以縮略成"師大"，"文化大革命"可以縮略成"文革"，"計劃生育委員會"的縮略是"計生委"，"第二次世界大戰"的縮略是"二戰"，"外交部長"的縮略是"外長"等等。有時候，連只有兩個字的地名在短新聞中也常常縮略。大家可能都知道"京"是"北京"的縮略，"日"是"日本"的縮略，"台"是"台灣"的縮略，"川"是"四川"的縮略。但是有時候會用一個完全不一樣的字，例如，"上海"的簡稱是"滬"，"廣東"的簡稱是"粵"，幸虧這樣的東西不太多。

　　除了專有名詞以外，很多副詞、連詞或者助動詞也常常縮略。常見的有：

已經：已　　　　　永遠：永　　　　今天：今
雖然：雖　　　　　如果：如　　　　可以：可
應該：應

　　在新聞中，為了表示事情的重要，常常使用一些和口語不一樣的說法。例如：

抵：到達　　　　赴：去　　　　會見：見面

一个学了三、四年中文的学生往往还是很难看得懂中文的报纸，而且，越是简短的新闻越难懂。这并不奇怪，因为短新闻常常使用缩略语，词汇和口语很不一样，甚至语法也不相同。

　　我们知道，报纸的版面有限。想要在有限的版面上报导很多消息，不能不使用缩略语。比较长的专有名词一般都有缩略语，比如，"人民代表大会"可以缩略成"人大"，"师范大学"可以缩略成"师大"，"文化大革命"可以缩略成"文革"，"计划生育委员会"的缩略是"计生委"，"第二次世界大战"的缩略是"二战"，"外交部长"的缩略是"外长"等等。有时候，连只有两个字的地名在短新闻中也常常缩略。大家可能都知道"京"是"北京"的缩略，"日"是"日本"的缩略，"台"是"台湾"的缩略，"川"是"四川"的缩略。但是有时候会用一个完全不一样的字，例如，"上海"的简称是"沪"，"广东"的简称是"粤"，幸亏这样的东西不太多。

　　除了专有名词以外，很多副词、连词或者助动词也常常缩略。常见的有：

| 已经：已 | 永远：永 | 今天：今 |
|---|---|---|
| 虽然：虽 | 如果：如 | 可以：可 |
| 应该：应 | | |

　　在新闻中，为了表示事情的重要，常常使用一些和口语不一样的说法。例如：

| 抵：到达 | 赴：去 | 会见：见面 |
|---|---|---|

會談：會面、談話
一行：跟著某個重要人物一起來訪問的人
昨日：昨天　　　晨：早上

　　因為報紙上的新聞可以反覆看，不容易產生誤解，所以口語中特別重要的量詞和"了"常常可以省略。比如，在報紙上，口語的"三個匪徒昨天早上搶劫了一家銀行"就會說成"三匪徒昨晨搶劫一銀行"。"個"、"了"和"家"都省略掉了。

　　談到數量的時候，口語的順序是數位、量詞、名詞，但是新聞的順序卻往往是名詞、數字、量詞。例如，口語說"生產了五千輛汽車"，新聞常常是"生產汽車五千輛"。

　　另外，新聞中常常用只有一個字的詞作狀語來修飾動詞，這在口語中是很少見的。例如，胡錦濤主席飛抵紐約，著名演員金山在滬病逝，"飛"和"病"就是狀語。這些地方看多了就不會有問題，但是要注意，這些特殊的語法你不能隨便亂用，特別是在說話的時候，否則中國人會覺得很奇怪的。

会谈：会面、谈话

一行：跟着某个重要人物一起来访问的人

昨日：昨天 　　　晨：早上

因为报纸上的新闻可以反复看，不容易产生误解，所以口语中特别重要的量词和"了"常常可以省略。比如，在报纸上，口语的"三个匪徒昨天早上抢劫了一家银行"就会说成"三匪徒昨晨抢劫一银行"。"个"、"了"和"家"都省略掉了。

谈到数量的时候，口语的顺序是数字、量词、名词，但是新闻的顺序却往往是名词、数字、量词。例如，口语说"生产了五千辆汽车"，新闻常常是"生产汽车五千辆"。

另外，新闻中常常用只有一个字的词作状语来修饰动词，这在口语中是很少见的。例如，胡锦涛主席飞抵纽约，著名演员金山在沪病逝，"飞"和"病"就是状语。这些地方看多了就不会有问题，但是要注意，这些特殊的语法你不能随便乱用，特别是在说话的时候，否则中国人会觉得很奇怪的。

# New Words

| 简短 | 簡短 | jiǎnduǎn | a. | brief |
|------|------|----------|-----|-------|
| 缩略语 | 縮略語 | suōlüèyǔ | n. | abbreviated terms |
| 相同 | | xiāngtóng | a. | identical, the same |
| 版面 | | bǎnmiàn | n. | space, layout |
| 有限 | | yǒuxiàn | a. | limited |
| 专有名词 | 專有名詞 | zhuānyǒumíngcí | n. | specific term, proper noun |
| 缩略 | 縮略 | suōlüè | n./v. | abbreviation; abbreviate |
| 计划生育委员会 | 計畫生育委員會 | jìhuà shēngyù wěiyuánhuì | n. | Committee for Birth Planning and Control |
| 外交 | | wàijiāo | n. | foreign affairs |
| 部长 | 部長 | bùzhǎng | n. | Minister |
| 简称 | 簡稱 | jiǎnchēng | n. | simple term |
| 沪 | 滬 | *Hù* | p.n. | *simple term for Shanghai* |
| 粤 | | *Yuè* | p.n. | *simple term for Guangdong* |
| 副词 | 副詞 | fùcí | n. | adverb |
| 连词 | 連詞 | liáncí | n. | conjunction |
| 助动词 | 助動詞 | zhùdòngcí | n. | auxiliary verb |
| 抵★ | | dǐ | v. | (formal usage) arrive |
| 到达 | 到達 | dàodá | v. | arrive |
| 赴★ | | fù | v. | (formal usage) leave for, go to |
| 会见★ | 會見 | huìjiàn | v. | meet |
| 会谈★ | 會談 | huìtán | n./v. | meeting; meet and talk |
| 一行★ | | yīxíng | n. | delegation, companies of a group |

| 晨★ | | chén | n. | morning |
|---|---|---|---|---|
| 反复 | 反覆 | fǎnfù | adv. | repeatedly, over and over |
| 产生 | 產生 | chǎnshēng | v. | to occur, to give rise to |
| 误解 | 誤解 | wùjiě | n. | misunderstanding |
| 省略 | | shěnglüē | v. | omit |
| 匪徒 | | fěitú | n. | bandit, gangster |
| 抢劫 | 搶劫 | qiǎngjié | v. | rob |
| 银行 | 銀行 | yínháng | n. | bank |
| 数量 | 數量 | shùliàng | n. | quantity |
| 顺序 | 順序 | shùnxù | n. | order, sequence |
| 辆 | 輛 | liàng | m.w. | for vehicles |
| 状语 | 狀語 | zhuàngyǔ | n. | adverbial adjunct |
| 修饰 | 修飾 | xiūshì | v. | specify |
| 少见 | 少見 | shǎojiàn | a. | rarely seen |
| 胡锦涛 | 胡錦濤 | Hú Jǐntāo | p.n. | |
| 金山 | | Jīnshān | p.n. | name of a place |
| 逝★ | | shì | v. | pass away |
| 特殊 | | tèshū | a. | special, particular |

# Idiomatic Phrases

短新聞舉例 / 短新闻举例

<u>國際新聞 / 国际新闻</u>

1. 胡锦涛主席昨离京赴法进行四天的正式友好访问。据了解，两国领导人将就经济和国际问题交换意见，并签署一系列经济和文化合作协议。
   胡錦濤主席昨離京赴法進行四天的正式友好訪問。據了解，兩國領導人將就經濟和國際問題交換意見，並簽署一系列經濟和文化合作協議。

| 离 | 離 | lí | *v.* | leave (abbreviation for 离开) |
|---|---|---|---|---|
| 正式 | | zhèngshì | *a.* | formal, official |
| 友好 | | yǒuhǎo | *a.* | good-will |
| 访问 | 訪問 | fǎngwèn | *n.* | visit (diplomatically) |
| 就★ | 就 | jiù | *prep.* | concerning, regarding |
| 签署 | 簽署 | qiānshǔ | *v.* | to sign (a treaty or agreement) |
| 一系列 | | yīxìliè | *n.* | a series of |
| 合作 | | hézuò | *n.* | cooperation |
| 协议 | 協議 | xiéyì | *n.* | agreement |

2. 印巴两国外长就边界问题进行的第三轮会谈未能达成协议。会后，双方都指责对方没有谈判诚意。
   印巴兩國外長就邊界問題進行的第三輪會談未能達成協議。會後，雙方都指責對方沒有談判誠意。

| 印度 | | Yìndù | *p.n.* | India |
|---|---|---|---|---|
| 巴基斯坦 | | Bājīsītǎn | *p.n.* | Pakistan |
| 边界 | 邊界 | biānjiè | *n.* | border |
| 轮 | 輪 | lún | *n.* | round |
| 未★ | | wèi | *adv.* | (literary usage for) not, not yet |

| 达成 | 達成 | dáchéng | v. | to reach (consensus) |
|---|---|---|---|---|
| 双方★ | 雙方 | shuāngfāng | n. | both sides |
| 指责★ | 指責 | zhǐzé | v. | blame, berate |
| 谈判 | 談判 | tánpàn | n.v. | negotiation; negotiate |
| 诚意 | 誠意 | chéngyì | n. | sincerity |

3. 我外交部发言人在回答记者问题时指出，所谓中国将在俄罗斯帮助下建造航空母舰的消息纯属无稽之谈。
   我外交部發言人在回答記者問題時指出，所謂中國將在俄羅斯幫助下建造航空母艦的消息純屬無稽之談。

| 外交部 | | wàijiāobù | n. | Ministry of Foreign Affairs |
|---|---|---|---|---|
| 发言人 | 發言人 | fāyánrén | n | spokesperson |
| 指出 | | zhǐchū | v. | point out, indicate |
| 建造 | | jiànzào | v. | build |
| 航空母舰 | 航空母艦 | hángkōngmǔjiàn | n. | aircraft carrier |
| 纯属★ | 純屬 | chúnshǔ | adv. | entirely, merely |
| 无稽之谈★ | 無稽之談 | wújīzhītán | n. | baseless talk |

國內新聞 / 国内新闻

1. 国家计生委有关人士日前透露，我国将逐步调整计划生育政策以解决人口老化的问题，新政策包括凡夫妻双方均为独生子女者可生第二胎。
   國家計生委有關人士日前透露，我國將逐步調整計劃生育政策以解決人口老化的問題，新政策包括凡夫妻雙方均為獨生子女者可生第二胎。

| 有关人士★ | 有關人士 | yǒuguānrénshì | n. | people involved |
|---|---|---|---|---|
| 日前★ | | rìqián | adv. | a couple of days ago |
| 透露 | | tòulù | v. | to disclose, reveal, divulge |

| 逐步★ | | zhúbù | *adv.* | step by step, gradually |
|---|---|---|---|---|
| 调整 | 調整 | tiáozhěng | *v.* | to adjust |
| 老化 | | lǎohuà | *a.* | aging |
| 凡★ | | fán | *conj.* | as long as (literary usage for 只要) |
| 均为★ | 均為 | jūnwéi(wéi) | *v.* | literary usage for 都是 |
| 生 | | shēng | *v.* | give birth to |
| 胎 | | tāi | *m.w.* | (for births) |

2. 国民党荣誉主席连战昨抵京进行两天友好访问。他表示，此行希望能就两岸三通问题和北京达成初步共识。据了解，连战将于 28 日和胡锦涛主席举行会谈，29 日在北京大学演讲。

國民黨榮譽主席連戰昨抵京進行兩天友好訪問。他表示，此行希望能就兩岸三通問題和北京達成初步共識。據了解，連戰將於 28 日和胡錦濤主席舉行會談，29 日在北京大學演講。

| 连战 | 連战 | *Lì Zhǎn* | *p.n.* | |
|---|---|---|---|---|
| 初步★ | | chūbù | *a.* | preliminary, tentative |
| 演讲 | 演講 | yǎnjiǎng | *v.* | give a speech |

3. 根据最近的一份问卷调查，百分之九十的台商对在大陆的投资和发展充满信心。据统计，常驻大陆的台商人数高达七十万，仅次于港商。

根據最近的一份問卷調查，百分之九十的台商對在大陸的投資和發展充滿信心。據統計，常駐大陸的台商人數高達七十萬，僅次於港商。

| 充满★ | 充滿 | chōngmǎn | *v.* | be full of |
|---|---|---|---|---|

# Sentence Patterns

## ① 越(是)adj. +NP 越 comment

(The more adj NP is, the more comment)

In this pattern, "adj. + NP" serves as a topic and is followed by the comment. 是 can be omitted only when the adj. has two-syllables; it has to be omitted when the adj. has only one syllable.

例 因为新闻有很多缩略语，所以越是简短的新闻越难懂。

Because news articles contain a lot of abbrievated terms, the more brief a news article is, the harder it is to understand.

例 一般来说，越有涵养的人越不喜欢随便批评别人。

Generally speaking, the more cultured a person is, the more he dislikes to criticize others.

## ② NP1 可以缩略成 NP2

(NP1 can be abbreviated into NP2)

NP1 的缩略是 NP2  (NP1's abbreviation is NP2)

NP1 是 NP2 的缩略  (NP1 is the abbreviation of NP2)

In the first pattern, 成 functions as a resultative compound meaning "as" or "into." Other terms going with 成 you may have learned are 变成 , 写成 , 说成 , etc.

例 "人民代表大会"可以缩略成"人大"。

The "National People's Congress" can be abbrievated to NPC.

例 "第二次世界大战"的缩略是"二战"。

The abbreviated form of "World War II" is "WWII."

例 在报纸里，"日"是"日本"的缩略。

In newspapers, "Ri" is the abbrievated form for "Riben" (Japan).

## ③ 反复+V

(V repeatedly, V over and over again)

例 因为报纸的新闻可以反复看，所以不容易产生误解。

Because newspaper articles can be read over and over again, misunderstandings are not likely to occur.

例 为了准备明天讨论会的发言，那位博士班的学生今天反复练习了好几遍。

In order to prepare for his presentation in tomorrow's symposium, that Ph.D. student practiced over and over again today.

### ④ Sb1 对 Sb2/Sth 充满信心 / 很有信心

(Sb1 have great confidence in Sb2/Sth)

例 百分之九十的台商对在大陆的投资充满信心。

Ninety percent of Taiwanese merchants have great confidence in investing in the mainland.

例 他是一个很有自信的人，总是对自己充满信心。

He is a very self-assured person, always having great confidence in himself.

书面作业

# Writing Tasks

**I.** Please use the words listed below to make 2 sentences. Each sentence must have at least 3 new words. Try to use as many terms as you can.

| | | | | | | | |
|---|---|---|---|---|---|---|---|
| a. 简短 | b. 缩略语 | c. 相同 | d. 版面 | e. 有限 | f. 缩略 | g. 外交 | h. 部长 |
| i. 简称 | j. 到达 | k. 会见 | l. 会谈 | m. 反复 | n. 误解 | o. 省略 | p. 匪徒 |
| q. 抢劫 | r. 数量 | s. 顺序 | t. 辆 | u. 修饰 | v. 少见 | w. 特殊 | |

1. _____

2. _____

**II.** Please cite one news report you read either from the newspaper or on TV, telling us when and where the news take place, how many people are involved, what happened, etc. You can write it in a colloquial/vernacular way. Pay special attention to your grammar and transition words.

對於中國傳統文化，一般人有一種相當普遍的誤解，那就是，中國的傳統文化是靜態的。很多人認為，從秦代到鴉片戰爭(1840)，兩千多年來中國的社會結構和文化都沒有什麼根本變化。這種看法並不是完全沒有道理，傳統文化中確實有一部分是相對穩定的。漢武帝以後，儒家思想逐漸取得了主導地位。隋代定型的科舉考試中，儒家經典也一直是考試的基本內容和標準答案。雖然儒家思想的發展演變也相當複雜，但是，至少在表面上，儒家思想作為主導意識形態的局面一直延續到近代的中國。儒家的倫理道德觀念深入中國的人民大眾，其變化的確是相對有限的。

但是，這些事實並不足以推導出中國傳統文化是靜態的這個結論。

首先，文化是多層面的。除了哲學、宗教、倫理等深層結構外，還有很多其它層面，例如政治、經濟、教育等制度層面，藝術層面，民間習俗層面等等。

如果仔細研究中國文化的另外一些層面，可以發現中國傳統文化有一種動態性，它相當勇敢地追求流行，吸收外國文化，同時毫不猶豫地拋棄舊有的模式。傳統音樂的變化是反映中國文化動態性的一個非常典型的例子。

中國人自古就非常喜愛"流行音樂"，可惜六經中的《樂經》在漢代就已經失傳了。若問中國最著名的樂器是什麼？很多人會回答"胡琴"。但是"胡琴"這個名字就已經說明了問題，這個樂器本來是外國的，後來才傳到中國。其它如琵琶、橫笛和嗩吶等，都不是中國自己的發明。

对于中国传统文化，一般人有一种相当普遍的误解，那就是，中国的传统文化是静态的。很多人认为，从秦代到鸦片战争(1840)，两千多年来中国的社会结构和文化都没有什么根本变化。这种看法并不是完全没有道理，传统文化中确实有一部分是相对稳定的。汉武帝以后，儒家思想逐渐取得了主导地位。隋代定型的科举考试中，儒家经典也一直是考试的基本内容和标准答案。虽然儒家思想的发展演变也相当复杂，但是，至少在表面上，儒家思想作为主导意识形态的局面一直延续到近代的中国。儒家的伦理道德观念深入中国的人民大众，其变化的确是相对有限的。

但是，这些事实并不足以推导出中国传统文化是静态的这个结论。

首先，文化是多层面的。除了哲学、宗教、伦理等深层结构外，还有很多其它层面，例如政治、经济、教育等制度层面，艺术层面，民间习俗层面等等。

如果仔细研究中国文化的另外一些层面，可以发现中国传统文化有一种动态性，它相当勇敢地追求流行，吸收外国文化，同时毫不犹豫地抛弃旧有的模式。传统音乐的变化是反映中国文化动态性的一个非常典型的例子。

中国人自古就非常喜爱"流行音乐"，可惜六经中的《乐经》在汉代就已经失传了。若问中国最著名的乐器是什么？很多人会回答"胡琴"。但是"胡琴"这个名字就已经说明了问题，这个乐器本来是外国的，后来才传到中国。其它如琵琶、横笛和唢呐等，都不是中国自己的发明。

另外一個值得深思的方面是中國的飲食。仔細閱讀唐代的筆記，可以發現當時中國的飲食和今天的日本和韓國非常相似。現在被認為最有中國特色的"炒"這種烹飪方法，一直到清代中期都還沒有很重要的地位。一些被人們形容為"歷史悠久"的名菜，實際上只有不到百年的歷史。比如"宮保雞丁"，就是二十世紀初才發明的。

　　即使在意識形態這層結構上，中國的傳統文化仍然具有一定的開放性。試問，在古代和中世紀，有哪一個主要的文明在完全和平的條件下大規模地接受另一個文明的精神成果？只有中國。當時印度和中國這兩個主要文明進行了完全和平的文化交流，許許多多的中國人接受了佛教，使中國的文化、社會、藝術等都發生了巨大的變化，但是印度卻基本上沒有從中國接受過任何重要的精神影響。

　　以上事實說明，近代中國人大量吸收西方的文化和技術並非突然的改變，而是一種固有文化的繼續和延伸。

　　筆者認為，中國文化這種求新和開放的傾向具有兩面性：一方面，它有助於新事物的出現和中外文化的融合；另一方面，缺乏必要的保守會導致許多傳統失傳。僅舉一個明顯的例子，過著非常現代化生活的日本人在重要節日和場合仍然要穿傳統服裝，而在服裝方面本來非常豐富的中國，現在恐怕找不到任何人穿漢族的傳統服裝了。

另外一个值得深思的方面是中国的饮食。仔细阅读唐代的笔记，可以发现当时中国的饮食和今天的日本和韩国非常相似。现在被认为最有中国特色的"炒"这种烹饪方法，一直到清代中期都还没有很重要的地位。一些被人们形容为"历史悠久"的名菜，实际上只有不到百年的历史。比如"宫保鸡丁"，就是二十世纪初才发明的。

　　即使在意识形态这层结构上，中国的传统文化仍然具有一定的开放性。试问，在古代和中世纪，有哪一个主要的文明在完全和平的条件下大规模地接受另一个文明的精神成果？只有中国。当时印度和中国这两个主要文明进行了完全和平的文化交流，许许多多的中国人接受了佛教，使中国的文化、社会、艺术等都发生了巨大的变化，但是印度却基本上没有从中国接受过任何重要的精神影响。

　　以上事实说明，近代中国人大量吸收西方的文化和技术并非突然的改变，而是一种固有文化的继续和延伸。

　　笔者认为，中国文化这种求新和开放的倾向具有两面性：一方面，它有助于新事物的出现和中外文化的融合；另一方面，缺乏必要的保守会导致许多传统失传。仅举一个明显的例子，过着非常现代化生活的日本人在重要节日和场合仍然要穿传统服装，而在服装方面本来非常丰富的中国，现在恐怕找不到任何人穿汉族的传统服装了。

# 生词

# New Words

| 动态 | 動態 | dòngtài | a. | dynamic, active |
|---|---|---|---|---|
| 性 | | xìng. | n. | property, nature (suffix corresponding to -ness or -ity) |
| 普遍 | | pǔbiàn | a. | universal, common |
| 静态 | 靜態 | jìngtài | a. | static |
| 鸦片 | 鴉片 | yāpiàn | n. | opium |
| 结构 | 結構 | jiégòu | n. | structure |
| 汉武帝 | 漢武帝 | Hànwǔdì | p.n. | Emperor Wu of the Han dynasty (206 B.C—220 A.D.) |
| 思想 | | sīxiǎng | n. | thought |
| 取得★ | | qǔdé | v. | obtain, acquire |
| 主导 | 主導 | zhǔdǎo | a./v. | dominant; dominate |
| 隋 | | Suí | p.n. | the Sui dynasty (581—618 A.D.) |
| 定型 | | dìngxíng | v. | fall into a pattern |
| 科举考试 | 科舉考試 | kējǔkǎoshì | n. | imperial civil service examination |
| 经典 | 經典 | jīngdiǎn | n. | classics |
| 标准 | 標準 | biāozhǔn | a. | standard |
| 答案 | | dá'àn | n. | answer |
| 演变 | 演變 | yǎnbiàn | n. | change and transformaiton |
| 至少 | | zhìshǎo | adv. | at least |
| 表面 | | biǎomiàn | n. | surface |
| 意识形态 | 意識形態 | yìshíxíngtài | n. | stereotype |
| 局面 | | júmiàn | n. | circumstance, situation |
| 延续 | 延續 | yánxù | v. | continue, last |
| 观念 | 觀念 | guānniàn | n. | notion, concept |

中國傳統文化的動態性

23

| | | | | |
|---|---|---|---|---|
| 深入 | | shēnrù | *v.* | deeply enter |
| 大众 | 大眾 | dàzhōng | *n.* | people, the masses |
| 其★ | | qí | *pron.* | literary usage for "its" and "it" (as an object) |
| 事实 | 事實 | shìshí | *n.* | fact |
| 足以★ | | zúyǐ | *a.* | enough to |
| 推导 | 推導 | tuīdǎo | *v.* | infer, deduce |
| 结论 | 結論 | jiélùn | *n.* | conclusion |
| 层面 | 層面 | céngmiàn | *n.* | layer |
| 多层面 | 多層面 | duōcéngmiàn | *a.* | multi-layered |
| 哲学 | 哲學 | zhéxué | *n.* | philosophy |
| 宗教 | | zōngjiào | *n.* | religion |
| 深层 | 深層 | shēncéng | *a.* | deep-leveled |
| 艺术 | 藝術 | yìshù | *n.* | arts |
| 民间习俗 | 民間習俗 | mínjiānxísú | *n.* | local customs, traditions, folklore |
| 仔细 | 仔細 | zǐxì | *a.* | careful, mcticulous |
| 勇敢 | | yǒnggǎn | *a.* | brave |
| 追求 | | zhuīqiú | *v.* | pursue |
| 流行 | | liúxíng | *n.* | fashion |
| 吸收 | | xīshōu | *v.* | absorb |
| 同时 | 同時 | tóngshí | *adv.* | at the same time, simultaneously |
| 抛弃 | 抛棄 | pāoqì | *v.* | cast away, desert |
| 旧有★ | 舊有 | jiùyǒu | *a.* | old |
| 模式 | | móshì | *n.* | model, paradigm |
| 自古★ | | zìgǔ | *n.* | from ancient times (abbreviation for "自从古代") |

| 六经 | 六經 | Liùjīng | n. | the Six Classics |
|---|---|---|---|---|
| 乐经 | 樂經 | Yuèjīng | n. | the Book of Music |
| 失传 | 失傳 | shīchuán | v. | be lost forever |
| 若★ | | ruò | conj. | literary usage for "如果" |
| 乐器 | 樂器 | yuèqì | n. | instrument |
| 胡 | | Hú | n. | the Hu people (general term non-Han people in the North and West in ancient times) |
| 胡琴 | | hú·qin | n. | Chinese fiddle |
| 琵琶 | | pí·pa | n. | lute-like string instrument |
| 横笛 | 橫笛 | héngdí | n. | flute |
| 唢呐 | 嗩呐 | suǒnà | n. | trumpet-like wind instrument |
| 值得深思★ | | zhídéshēnsī | v./a. | be worth careful thinking; worth careful thinking |
| 饮食 | 飲食 | yǐnshí | n. | food and beverage, diet |
| 阅读 | 閱讀 | yuèdú | v. | read |
| 笔记 | 筆記 | bǐjì | n. | notes |
| 相似★ | | xiāngsì | a./v. | alike, similar; resemble |
| 炒 | | chǎo | v./n. | stir and fry; stir-fry |
| 烹饪 | 烹飪 | pēngrèn | n. | cuisine |
| 清代 | | Qīngdài | n. | the Qing Dynasty (1616 A.D. —1911 A.D.) |
| 形容 | | xíngróng | v. | describe |
| 历史悠久★ | 歷史悠久 | lìshǐyōujiǔ | a. | time-honored |
| 实际上 | 實際上 | shíjì·shang | adv. | in reality, realistically |
| 宫保鸡丁 | 宮保雞丁 | Gōngbǎojīdīng | n. | diced chicken in spicy sauce |

| | | | | |
|---|---|---|---|---|
| 具有★ | | jùyǒu | *v.* | possess |
| 开放 | 開放 | kāifàng | *a.* | open, receptive |
| 试问★ | 試問 | shìwèn | *phr.* | May we ask …? |
| 中世纪 | 中世紀 | Zhōngshìjì | *n.* | the Middle Ages |
| 文明 | | wénmíng | *n.* | civilization |
| 和平 | | hépíng | *n./a.* | peace; peaceful |
| 大规模 | 大規模 | dàguīmó | *a.* | in big scale |
| 成果 | | chéngguǒ | *n.* | fruit, achievement |
| 佛教 | | Fójiào | *n.* | Buddhism |
| 基本上 | | jīběn·shang | *adv.* | basically |
| 以上★ | | yǐshàng | *a.* | the above-mentioned |
| 固有 | | gùyǒu | *a.* | intrinsic, inherent |
| 延伸 | | yánshēn | *n.* | extension |
| 笔者★ | 筆者 | bǐzhě | *n.* | the author (refer to himself/herself) |
| 倾向 | 傾向 | qīngxiàng | *n.* | inclination, orientation |
| 有助于★ | 有助於 | yǒuzhùyú | *v.* | to contribute to, promote |
| 融合 | | rónghé | *n./v.* | fuse; confluence |
| 保守 | | bǎoshǒu | *n./a.* | conservativeness; conservative |
| 仅★ | 僅 | jǐn | *adv.* | only, simply, just |
| 场合 | 場合 | chǎnghé | *n.* | occasion |
| 服装 | 服裝 | fúzhuāng | *n.* | dress, clothing, costume |

# General Review: Academic Writing

You may feel that Chinese academic writings are difficult to read. To understand academic writing, one has to be familiar with the specific structural and stylistic features of written language, in addition to knowledge of the specialized subject. The following are some of the most prominent characteristics typically found in Chinese academic writings:

**1** Frequent usages of expressions from Classical Chinese, comparable perhaps to the use of Latin words in English academic writings:

Academic ⇨ 儒家的倫理道德觀念深入中國的人民大眾，其變化的確是相對有限的。
儒家的伦理道德观念深入中国的人民大众，其变化的确是相对有限的。

Common speech or writing

⇨ 儒家的倫理道德觀念深入中國的人民大眾，這樣的變化的確是相對有限的。
儒家的伦理道德观念深入中国的人民大众，这样的变化的确是相对有限的。

**2** Longer sentences, especially those with long modifiers:

⇨ 儒家思想作為主導意識形態的局面一直延續到近代中國。
儒家思想作为主导意识形态的局面一直延续到近代中国。

⇨ 在服裝方面本來非常豐富的中國，現在恐怕找不到任何人穿漢族的傳統服裝了。
在服装方面本来非常丰富的中国，现在恐怕找不到任何人穿汉族的传统服装了。

**3** Frequent usages of suffix 性:

⇨ 如果仔細研究中國文化，可以發現中國傳統文化有一種動態性。
如果仔细研究中国文化，可以发现中国传统文化有一种动态性。

⇨ 即使在意識形態這層結構上，中國的傳統文化仍然具有一定的開放性。
即使在意识形态这层结构上，中国的传统文化仍然具有一定的开放性。

## 句型
# Sentence Patterns

**①  对于 NP, S**  （As far as NP is concerned, S; Regarding NP, S）

例 对于中国文化，一般人有一种相当普遍的误解。

Regarding Chinese culture, people generally have a wide-spread misunderstanding.

例 对于中国的人权问题，中国人和美国人的看法很不一样。

Regarding China's human rights issue, Chinese and American people have very different opinions.

**②  相当 + adj.**  S (From..., S)

相当 serves as an adverb in this lesson, which means "quite, fairly, considerably".

例 儒家思想的发展演变相当复杂。

The development and process of transformation of Confucian thought is quite complicated.

例 这个国家的贪污腐败问题相当严重。

The problem of corruption in this country is quite serious.

**③  确实 = 的确 adv.**  indeed, really

例 中国文化中确实有一部分是相对稳定的。

There is indeed a part of Chinese culture that is relatively stable.

例 儒家的伦理观念深入中国的人民大众，这样的变化的确是相对有限的。

[Since] Confucian ethical notions have penetrated deep into the masses in China, such change would indeed be comparatively limited.

**④  一直 adv.**  up to···, always, continuously

例 在中国以前的科举考试里，儒家经典一直是考试的基本内容和标准答案。

In China's civil service examinations of the past, Confucian classics always made up the basic content and standard answers for the exams.

例 儒家思想作为主导意识形态的局面一直延续到近代的中国。

The situation where Confucian thought functioned as the leading ideology lasted continuously up to modern China.

中国传统文化的动态性

23

**⑤ 其**  **its, it (object)**

其 is the most commonly used pronoun for the third person in classical Chinese and now in formal academic writings. Please be aware that it has to be used as a modifier or an object; it cannot be used as a subject.

例 儒家的伦理道德观念深入中国的人民大众，其变化的确是相对有限的。

[Since] Confucian ethical notions have penetrated deep into the masses in China, its changes would indeed be comparatively limited.

例 儒家思想曾经在中国处于领导地位，其影响力深入中国的传统社会。

Confucian thought was in the leading position in China, its influence penetrating deep into traditional Chinese society.

例 政府非常重视重工业，将其当成中国现代化的基础。

The government paid serious attention to heavy industry, taking it as the basis of China's modernization.

**⑥ Topic 并不足以**  **comment (Topic is not enough to comment)**

In this pattern, the comment often goes with the following verbs: 说明，推导，证明 (verify), etc.

例 这些事实并不足以推导出中国传统文化是静态的这个结论。

These facts are not sufficient to lead to the conclusion that Chinese traditional culture is static.

例 你所说的是有道理，但是还不足以说明为什么事情会变得这么严重。

What you said is indeed reasonable, but it is still not sufficient to explain why things have become so serious.

**⑦ 推导出 S 这个结论**  **(infer/lead to the conclusion of S)**

In this pattern, 出 serves as a resultative compund. You cannot say "推导 S 这个结论".

例 这些事实并不足以推导出中国传统文化是静态的这个结论。

These facts are not sufficient to lead to the conclusion that Chinese traditional culture was static.

例 中国的经济发展越来越快，全世界对中国的投资超过了对美国的投资，这些事实让许多经济学家推导出"中国将威胁美国"这个结论。

China's economy is developing faster and faster. The world's investments in China have exceeded those in the United States. These facts lead many economists to infer the conclusion that "China is about to become a threat to the United States."

**⑧ 值得深思**    (worth your careful thinking)

值得深思 can be used as an adjective, as in example (1), or as a predicate, as in example (2). As a predicate, the sentence pattern is always like "Topic 值得深思"; the topic here usually refers to a question, a fact, ect.

例 另外一个值得深思的方面是中国的饮食。

Another aspect worth careful consideration is Chinese cuisine.

例 体罚是不是一个好的教育办法这个问题值得深思。

Whether physical punishment is a good method of education is a question worth careful consideration.

**⑨ NP1 和 NP2 非常相似**    (NP1 and NP2 are very much alike)

例 唐代的饮食和今天的日本和韩国非常相似。

Tang dynasty cuisine was very similar to today's Japanese and Korean food.

例 他和他哥哥在外貌上非常相似，但是性格却完全不一样。

He and his elder brother are very much alike in appearance, but completely different in personality.

**⑩ Topic 并非 comment 1，而是 comment 2**    (Topic is not/does not comment1, but comment 2)

例 中国人大量吸收西方文化并非突然的转变，而是一种固有文化的继续。

Chinese people's absortion of western culture on a large scale is not a sudden change, but is the continuation of something inherent in the culture.

例 我那天在公共汽车上并非想跟别人吵嘴，而是希望大家冷静一点。

It wasn't that I wanted to quarrel with people that day on the bus; rather, I was hoping that everyone could cool down a bit.

**⑪ NP 1 有助于 NP 2**    (NP1 is conducive to NP2)

例 中国这种求新的态度有助于新事物的出现。

China's attitude of seeking innovation is conducive to the appearance of new things.

例 很多政治家认为，两岸关系的稳定有助于中美关系的发展。

Many statesmen think that the stability of cross-strait relations is conducive to the development of Sino-U.S. relations.

# Writing Tasks

**I.** **Translate the following into Chinese.**

1. Although Confucianism has been a dominant ideology in China since the Han Dynasty, this is not enough for us to draw the conclusion that the Chinese traditional culture was static in character.

2. Culture is a multi-layer concept. Many things, such as music, clothes and local customs, are all reflective of the dynamic character of Chinese culture.

3. The dialogue between the Chinese and American governments on human rights issues is helpful for improving human rights situations. (有助于)

**II.** **Use the words listed below to write one paragraph. This paragraph must be composed of 3-4 sentences and have at least 5-6 words.**

| 普遍 | 结构 | 稳定 | 思想 | 经典 | 标准 | 勇敢 |
|------|------|------|------|------|------|------|
| 至少 | 观念 | 结论 | 层面 | 哲学 | 艺术 | 值得深思 |

# 我是你爸爸

## 我是你爸爸 24

王 朔

① 编者有改动。

馬銳開了電視，又回到桌旁坐好，繼續低頭吃麵，眼睛不時看一眼電視屏幕。

電視裏不斷出現工業增產、農業豐收、市場供應充足的畫面，接著是不同的幹部們在開會，國家領導人會見膚色各異的外國要人、大亨什麼的。

馬林生邊吃邊評論，介紹背景，不時指著出現在畫面裏的某個有地位的先生一本正經地對兒子說：

"這個人到我們書店買過書，非常有學問，非常和氣，他買的很多書是我給他推薦的……"

談笑風生間，馬林生已經吃完了麵條，碗筷放在一邊，仍津津有味地盯著電視屏幕自言自語，品頭論足。

"又是他，又是他……"

他轉頭看了一眼兒子，"吃完了？吃完趕快去把碗刷了，咱們各刷各的。"

馬銳坐著不動，"我等等。"

"你等什麼？我早說過，自己的碗自己刷，你該學著料理自己的生活了。"

"我想看看電視裏有沒有你不認識、沒去過的地方。"

馬林生嘴絆了一下，看了一眼兒子，不說話了。他看了一會兒電視後說："沒意思。應該快國際新聞了吧。"

馬銳拿著自己的碗筷出去了。

馬銳洗完碗回來，電視裏已經開始播放國際新聞。畫面裏不斷出現軍艦、戰鬥機、坦克以及穿著迷彩作戰服的美國大兵。電視播音員正在報導海灣局勢的最新發展。

马锐开了电视，又回到桌旁坐好，继续低头吃面，眼睛不时看一眼电视屏幕。

电视里不断出现工业增产、农业丰收、市场供应充足的画面，接着是不同的干部们在开会，国家领导人会见肤色各异的外国要人、大亨什么的。

马林生边吃边评论，介绍背景，不时指着出现在画面里的某个有地位的先生一本正经地对儿子说：

"这个人到我们书店买过书，非常有学问，非常和气，他买的很多书是我给他推荐的……"

谈笑风生间，马林生已经吃完了面条，碗筷放在一边，仍津津有味地盯着电视屏幕自言自语，品头论足。

"又是他，又是他……"

他转头看了一眼儿子，"吃完了？吃完赶快去把碗刷了，咱们各刷各的。"

马锐坐着不动，"我等等。"

"你等什么？我早说过，自己的碗自己刷，你该学着料理自己的生活了。"

"我想看看电视里有没有你不认识、没去过的地方。"

马林生嘴绊了一下，看了一眼儿子，不说话了。他看了一会儿电视后说："没意思。应该快国际新闻了吧。"

马锐拿着自己的碗筷出去了。

马锐洗完碗回来，电视里已经开始播放国际新闻。画面里不断出现军舰、战斗机、坦克以及穿着迷彩作战服的美国大兵。电视播音员正在报导海湾局势的最新发展。

"您說美國和伊拉克會打仗嗎？"馬銳問他爸。

"難說。"馬林生皺著眉頭盯著電視，認真地思索，"目前局勢複雜，我一下子還不好妄下判斷。"

"您希望他們打起來嗎？"

"打仗總不是好事，不管什麼原因，戰端一啟，萬死千傷，外國人也是人啊……"

"我倒希望他們打起來。"馬銳說。

"為什麼？"馬林生奇怪地看著兒子。

"電視好看了。"馬銳說，"每天至少半小時的戰況報導吧？多有意思！"

馬林生想了想，點頭說："也對，有的說了。你覺得美國能打贏嗎？"他問兒子的意見。

"最好別像打巴拿馬一樣，一錘就砸爛了。讓伊拉克也打幾個勝仗，打仗有勝有負才好看。"

"沒錯。"馬林生不自覺地同意兒子的看法，"一邊倒沒意思，比賽要精彩，兩個隊的水平必須差不多。"

父子倆熱烈地討論起美伊雙方的軍力孰優孰劣，一旦打仗可能出現的戰況。討論到後來又變成了感慨。

"你小小年紀怎麼對國際上的事這麼清楚？"馬林生聽著覺得有點兒不是滋味。"這些事你那麼清楚做什麼？"

"關心唄，同學之間沒事也討論。"馬銳被掃了興，懶洋洋地說。

馬林生打量著兒子，"我在你這個年紀可說不出你這些話，早熟了點兒吧？"

"您说美国和伊拉克会打仗吗？"马锐问他爸。

"难说。"马林生皱着眉头盯着电视，认真地思索，"目前局势复杂，我一下子还不好妄下判断。"

"您希望他们打起来吗？"

"打仗总不是好事，不管什么原因，战端一启，万死千伤，外国人也是人啊……"

"我倒希望他们打起来。"马锐说。

"为什么？"马林生奇怪地看着儿子。

"电视好看了。"马锐说，"每天至少半小时的战况报导吧？多有意思！"

马林生想了想，点头说："也对，有的说了。你觉得美国能打赢吗？"他问儿子的意见。

"最好别像打巴拿马一样，一锤就砸烂了。让伊拉克也打几个胜仗，打仗有胜有负才好看。"

"没错。"马林生不自觉地同意儿子的看法，"一边倒没意思，比赛要精彩，两个队的水平必须差不多。"

父子俩热烈地讨论起美伊双方的军力孰优孰劣，一旦打仗可能出现的战况。讨论到后来又变成了感慨。

"你小小年纪怎么对国际上的事这么清楚？"马林生听着觉得有点儿不是滋味。"这些事你那么清楚做什么？"

"关心呗，同学之间没事也讨论。"马锐被扫了兴，懒洋洋地说。

马林生打量着儿子，"我在你这个年纪可说不出你这些话，早熟了点儿吧？"

馬銳看了他爸一眼，有點同情。

"今天的作業做了嗎？"馬林生嚴肅起來，坐直身子，人似乎高了一截。

"沒有。"馬銳說。

马锐看了他爸一眼，有点同情。

"今天的作业做了吗？"马林生严肃起来，坐直身子，人似乎高了一截。

"没有。"马锐说。

# New Words

| | | | | |
|---|---|---|---|---|
| 马锐 | 馬銳 | *Mǎ Ruì* | *p.n.* | *name of a person* |
| 低 | | dī | *v.* | lower |
| 面 | 麵 | miàn | *n.* | noodle |
| 不时 | 不時 | bùshí | *adv.* | frequently, time and again |
| 屏幕 | | píngmù | *n.* | (TV, computer) screen |
| 不断 | 不斷 | bùduàn | *a.* | unceasing, continuous |
| 增产 | 增產 | zēngchǎn | *n./v.* | increase in production; increase production |
| 丰收 | 豐收 | fēngshōu | *n.* | abundant harvest |
| 供应 | 供應 | gōngyìng | *n.* | supply |
| 充足 | | chōngzú | *a.* | sufficient |
| 画面 | 畫面 | huàmiàn | *n.* | picture, image |
| 接着 | 接著 | jiē·zhe | *v.* | be followed by |
| 干部 | 幹部 | gānbù | *n.* | official, staff |
| 开会 | 開會 | kāihuì | *v.* | have a meeting |
| 肤色各异★ | 膚色各異 | fūsègèyì | *a.* | (people) of different colors |
| 要人★ | | yàorén | *n.* | important person |
| 大亨★ | | dàhēng | *n.* | tycoon |
| 马林生 | 馬林生 | *Mǎ Línshēng* | *p.n.* | *name of a person* |
| 评论 | 評論 | pínglùn | *v.* | judge |
| 一本正经★ | 一本正經 | yīběnzhèngjīng | *a.* | serious |
| 学问 | 學問 | xué·wen | *n.* | knowledge |
| 和气 | 和氣 | hé·qi | *a.* | easygoing, affable |
| 谈笑风生★ | 談笑風生 | tánxiàofēngshēng | *v.* | talk cheerfully |
| 碗 | | wǎn | *n.* | bowl |
| 筷 | | kuài | *n.* | chopstick |

我是你爸爸

24

| 津津有味★ | | jīnjīnyǒuwèi | *a.* | enjoyable |
|---|---|---|---|---|
| 盯 | | dīng | *v.* | fix one's eyes on, stare at |
| 自言自语★ | 自言自語 | zìyánzìyǔ | *v.* | speak to oneself |
| 品头论足★ | 品頭論足 | pǐntóulūnzú | *v.* | make remarks about someone |
| 刷 | | shuā | *v.* | wash |
| 学着 | 學著 | xué·zhe | *v.* | learn to |
| 料理 | | liāolǐ | *v.* | take care of |
| 绊 | 絆 | bàn | *v.* | stumble |
| 播放 | | bōfàng | *v.* | broadcast |
| 军舰 | 軍艦 | jūnjiàn | *n.* | warship |
| 战斗机 | 戰鬥機 | zhàndōujī | *n.* | fighter (airplane) |
| 坦克 | | tǎnkè | *n.* | tank |
| 迷彩作战服 | 迷彩作戰服 | mícǎizuōzhànfú | *n.* | camouflage dress |
| 大兵△ | | dàbīng | *n.* | (SL) soldier |
| 播音员 | 播音員 | bōyīn yuán | *n.* | news announcer |
| 海湾 | 海灣 | hǎiwān | *n.* | gulf |
| 局势 | 局勢 | júshì | *n.* | (war) situation, state (of affairs) |
| 伊拉克 | | Yīlākè | *p.n.* | Iraq |
| 打仗 | | dǎzhàng | *v.* | have a war/battle |
| 皱着眉头 | 皺著眉頭 | zhōu·zhe méitóu | *v.* | knit one's brows, scowl |
| 思索★ | | sīsuǒ | *v.* | ponder |
| 目前★ | | mùqián | *adv.* | so far, for the time being |
| 妄下判断★ | 妄下判斷 | wàngxiàpànduàn | *v.* | jump into conclusions |
| 战端一启★ | 戰端一啟 | zhànduānyīqǐ | *phr.* | once the war starts |
| 万死千伤★ | 萬死千傷 | wànsǐqiānshāng | *phr.* | Literally, ten thousand people die and one thousand people are hurt. Namely, there will be numerous casualities. |

我是你爸爸

24

| | | | | |
|---|---|---|---|---|
| 战况 | 戰況 | zhànkuàng | *n.* | war situation |
| 赢 | 贏 | yíng | *v.* | win |
| 巴拿马 | 巴拿馬 | Bānámǎ | *p.n.* | Panama |
| 锤 | 錘 | chuí | *v.* | hammer, strike |
| 砸烂 | 砸爛 | zálàn | *v.* | smash |
| 胜★ | 勝 | shèng | *n./v.* | literary usage for "赢" |
| 负★ | 負 | fù | *n./v.* | literary usage for "输" |
| 不自觉 | 不自覺 | bùzìjué | *a.* | unaware, unconscious |
| 一边倒 | 一邊倒 | yībiāndǎo | *n.* | one-sided affair |
| 精彩 | | jīngcǎi | *a.* | riveting, exciting |
| 热烈 | 熱烈 | rèliè | *a.* | earnest |
| 军力 | 軍力 | jūnlì | *n.* | military strength |
| 孰优孰劣★ | 孰優孰劣 | shúyōushúliè | *phr.* | who is in the upper hand |
| 感慨 | | gǎnkǎi | *n./v.* | sigh with emotion |
| 着急 | 著急 | zhāojí | *v.* | feel anxious, worried |
| 清楚 | | qīng·chu | *a.* | clear |
| 不是滋味 | | bùshìzīwèi | *v.* | feel awkward, a bit uncomfortable |
| 呗△ | 唄 | bei | *part.* | indicates obviousness |
| 扫兴 | 掃興 | sǎoxìng | *v.* | have one's spirits dampened, feel disappointed |
| 懒洋洋 | 懶洋洋 | lǎnyángyáng | *a.* | listless, lethargic |
| 打量 | | dǎ·liang | *v.* | size up |
| 早熟 | | zǎoshú | *a.* | precocious, premature |
| 直 | | zhí | *a.* | straight |
| 身子△ | | shēn·zi | *n.* | (CL) body |
| 高了一截△ | | gāo·leyījié | *v.* | (CL) become taller |

# About the author

王朔是中國當代有一定影餉的作家。他1958年出生於南京，後在北京求學，1978年開始從事文學創作。他的作品多為小說，喜歡以通俗的對白和調侃的口氣描寫各階層人對一些社會現象的不滿。他近年的創作轉向電影編劇和劇本創作。較有名的作品包括"我是你爸爸"、"一般是火焰一般是海水"、"千萬別把我當人"等。

王朔是中国当代有一定影响的作家。他1958年出生于南京，后在北京求学，1978年开始从事文学创作。他的作品多为小说，喜欢以通俗的对白和调侃的口气描写各阶层人对一些社会现象的不满。他近年的创作转向电影编剧和剧本创作。较有名的作品包括《我是你爸爸》、《一半是火焰一半是海水》、《千万别把我当人》等。

Wang Shuo (Wǎng Shuō), born in Nanjing in 1958, is one of the most important writers in modern China. He served in the navy for four years and held a few odd jobs before starting to write. His works are known for their satirical tones and are called "the punk literature" because of their tendency to encourage readers to indulge. He has recently turned his attention to screen plays. His most famous works include "I am Your Father," "Half Fire, Half Sea" and "Please Don't Call Me Human."

# General Review: Narration and Conversation in Novels and Stories

Typically, a novel or a short story can be a combination of two different styles: the written style for narration using many classical idiomatic phrases, and the colloquial style for conversation. Novels and short stories, especially in the last ten years, tend to be written in real conversational style (in many cases in strong local dialect). Some authors try to use the conversational style for both narration and conversation, but that is not the mainstream.

# Sentence Patterns

**1** S 不时 VP   (S VP frequently, continuously, time and again)

不时 is used mainly in writing.

例 马锐吃着面条，眼睛不时看一眼荧光屏。

As he ate the noodles, Ma Rui frequently glanced at the screen.

例 马林生边吃边评论，不时向儿子介绍电视里的人。

Ma Linsheng gave comments as he ate, time and again introducing the characters on TV to his son.

**2** 津津有味   (saying/listening/watching) with gusto; eagerly; with great interest

Besides being used as a modifier, as in example (1), the most common sentence pattern going with 津津有味 is "Sb 看得 / 听得 / 说得 津津有味".

例 马林生津津有味地盯着电视屏幕自言自语，品头论足。

Ma Linsheng stared at the TV screen with great interest, muttering to himself and making remarks here and there.

例 那位教授的演讲真是太精彩了，所有的观众都听得津津有味。

That professor's speech was really so brilliant; the entire audience was listening with great interest.

**3** Sb 各 V 各的（NP）   (sb. V separately/individually)

There are two things you need to pay attention to with this pattern. First, Sb here refers to a plural subject. Second, based on the fact that this pattern is mostly used in dialogue, NP is often omitted because the listener can determine what the NP refers to from the context. However, if the speaker wants to initiate a different topic, then the NP is not omittable.

例 今天咱们各刷各的碗，好不好？

Let's each wash our own bowls, shall we?

例 中国人吃饭喜欢一起点菜，而美国人吃饭喜欢各点各的。

Chinese people like to order dishes together when they eat, but Americans like to order their dishes separately.

## ④ 学着 VP    (learn to VP)

学着 differs from 学 in that it requires a VP to follow 学着, which means "learn to VP" while 学 is usually followed by a noun, which means "learn something."

例 你已经十四岁了，应该学着料理自己的生活。

You are already fourteen years old, and should learn to take care of your own life.

例 每个人一天都只有二十四个小时，所以你应该学着好好利用时间，不要把时间都浪费在玩网络游戏上。

Everyone has only twenty-four hours in a day. Therefore, you should learn to use your time well. Don't waste all your time playing online games.

## ⑤ S + 倒 + VP    .(on the contrary, S VP )

This pattern is usually used in the context of a dialogue, where it is used by the speaker to express ideas that are against someone else's or quite different from the majority.

例 A: 我不希望美国和伊拉克打仗。

I hope that the U.S. and Iraq won't go to war.

B: 我倒希望他们打起来，因为电视好看了。

On the contrary, I rather hope that they do, because it would be more exciting on TV.

例 A: 中文课每两个星期就有一次考试，太多了。

There is an exam every two weeks in the Chinese course. It's too much.

B: 我倒喜欢这样的方式，因为这样每次准备的东西都不会太多。

On the contrary, I rather like it this way, because there won't be too much to prepare each time.

## ⑥ short clause 呗

呗, a modal particle, is used to indicate that a fact is so obvious as to need no explanation or that the matter is very simple and can easily be solved. It is typically used in answering a question.

例 A: 这些国际的事情你那么清楚做什么？

What's the point of you being so clear about international affairs?

B: 关心呗。

Just being concerned.

例 A: 为什么你今天要请大家吃饭？

Why are you treating everyone today?

B: 心情好呗。

Just in a good mood.

**⑦ 扫兴**

Two frequent usages with 扫兴：

(1) Sb 被扫了兴 (Sb's spirit was dampened)

例 马锐被扫了兴，所以说话懒洋洋地。

Ma Rui's spirit was dampened; that's why he was talking listlessly.

(2) Topic 真 ( 让人觉得 ) 扫兴

(Topic makes people's spirits dampened; Topic makes people disappointed)

例 原本大家聊得开开心心地，但是他说了一些奇怪的话，真让人觉得扫兴。

Everyone was originally chatting happily, but he said some strange things and dampened everyone's spirit.

## Other Notes

A conjunction similar to 和, it connects coordinate subjects or objects, but not clauses. It is mostly used in written language; a pause may preceed it.

● 中國的國粹指的是國畫、中醫以及京劇。
中国的国粹指的是国画、中医以及京剧。

● 冬天時，美國東部地面、樹木，以及屋頂到處都是積雪。
冬天时，美国东部地面、树木，以及屋顶到处都是积雪。

以天下為己任
以天下为己任
"天下" is the literary word for "世界", the world, so the whole sentence can be colloquially said as "把全世界當成自己的責任/把全世界当成自己的责任", which means "take the whole world as their own responsibility."

# Topic for Discussion

- 你覺得這一課作者想表達什麼?

  你觉得这一课作者想表达什么?

- 你同意故事中這一對父子對於美國的說法嗎?

  你同意故事中这一对父子对于美国的说法吗?

书面作业

# Writing Tasks

**I.    Fill in each blank with a proper expression.**

| | | | |
|---|---|---|---|
| a. 侃侃而谈 | b. 自告奋勇 | c. 调皮捣蛋 | d. 肤色各异 |
| e. 津津有味 | f. 自言自语 | g. 谈笑风生 | |

1. 这个班里的学生来自不同的国家，他们 ＿＿＿＿＿＿＿＿，语言也不同。

2. 当没有人愿意说话时，他 ＿＿＿＿＿＿ 在大会上发言，对学校的政策 ＿＿＿＿＿＿、
   品头论足，一谈就是一个小时，真厉害。

3. 他一个人坐在电视前 ＿＿＿＿＿＿＿＿ 地看新闻，不知道在说些什么。

4. 他们看到女儿的男朋友 ＿＿＿＿＿＿＿＿，而且聊起天来 ＿＿＿＿＿＿＿＿，心里
   非常满意。

**Tell the difference between the two words offered and select the proper one to fill in the blanks.**

以及，和

1. 美国 _____ 很多第三世界的国家一样，都有自己的人权问题。

2. 这个演员演过的电影有关于爱情的，战争的，_____恐怖的，都非常精彩。

III. **Translate the following passage into Chinese by using all the expressions in parenthesis.**

Between comments and laughs, Ma Linsheng gobbled down three bowls of noodles with relish. His son, in contrast, lay listlessly on the couch, from time to time making lavish comments about what was shown on TV and passing groundless judgments on international affairs. (谈笑风生、津津有味、懒洋洋、品头论足、妄下判断)

過客
过客

鲁 迅

時：或一日的黃昏

地：或一處

人：老翁　約七十歲，白鬚髮，黑長袍。

　　女孩　約十歲，紫髮，烏眼珠。白地黑方格長衫。

　　過客　約三四十歲，狀態困頓倔強，眼光陰沉，黑鬚，亂髮，黑色短衣褲皆破碎，赤足著破鞋，脅下掛一個口袋，支著等身的竹杖。

　　東，是幾株雜樹和瓦礫；西，是荒涼破敗的叢葬；其間有一條似路非路的痕跡。一間小土屋向這痕跡開著一扇門；門側有一段枯樹根。


（女孩正要將坐在樹根上的老翁攙起）

翁：孩子。喂，孩子！怎麼不動了呢？

孩：（向東望著）有誰走來了，看一看吧。

翁：不用看他。扶我進去吧。太陽要下去了。

孩：我，……看一看。

翁：唉，你這孩子！天天看見天，看見土，看見風，還不夠好看嗎？什麼也不比這些好看。你偏是要看誰。太陽下去時候出現的東西，不會給你什麼好處的。……還是進去吧。

孩：可是已經近來了。啊啊，是一個乞丐。

翁：乞丐？不見得吧。

（過客從東面的雜樹間跟蹌走出，暫時躊躇之後，慢慢地走近老翁去。）

时：或一日的黄昏

地：或一处

人：老翁　约七十岁，白须发，黑长袍。

　　女孩　约十岁，紫发，乌眼珠。白地黑方格长衫。

　　过客　约三四十岁，状态困顿倔强，眼光阴沉，黑须，乱发，黑色短衣裤皆破碎，赤足着破鞋，胁下挂一个口袋，支着等身的竹杖。

　　东，是几株杂树和瓦砾；西，是荒凉破败的丛葬；其间有一条似路非路的痕迹。一间小土屋向这痕迹开着一扇门；门侧有一段枯树根。


（女孩正要将坐在树根上的老翁搀起）

翁：孩子。喂，孩子！怎么不动了呢？

孩：（向东望着）有谁走来了，看一看吧。

翁：不用看他。扶我进去吧。太阳要下去了。

孩：我，……看一看。

翁：唉，你这孩子！天天看见天，看见土，看见风，还不够好看吗？什么也不比这些好看。你偏是要看谁。太阳下去时候出现的东西，不会给你什么好处的。……还是进去吧。

孩：可是已经近来了。啊啊，是一个乞丐。

翁：乞丐？不见得吧。

（过客从东面的杂树间踉跄走出，暂时踌躇之后，慢慢地走近老翁去。）

客：老丈，你晚上好？

翁：啊，好！託福。你好？

客：老丈，我實在冒昧，我想在你那裏討一杯水喝。我走得渴極了。這地方又沒有一個池塘，一個水窪。

翁：哦，可以，可以。你請坐吧。（向女孩）孩子，你拿水來，杯子要洗乾淨。

（女孩默默地走進土屋去。）

翁：客官，你請坐。你是怎麼稱呼的。

客：稱呼？……我不知道。從我還能記得的時候起，我就只一個人。我不知道我本來叫什麼。我一路走，有時人們也隨便稱呼我，各式各樣的，我也記不清楚了，況且相同的稱呼也沒有聽到過第二回。

翁：啊啊。那麼，你是從哪里來的呢？

客：（略略遲疑）我不知道。從我還能記得的時候起，我就這麼走。

翁：對了。那麼，我可以問你到哪里去嗎？

客：自然可以。……但是，我不知道。從我還能記得的時候起，我就這麼走，要到一個地方去，這地方就在前面。我單記得走了許多路，現在來到這裏了。我接著就要走向那邊去，（西指）前面！

（女孩小心地捧出一個木杯來，遞去。）

客：（接杯）多謝，姑娘。（將水兩口喝盡，還杯。）多謝，姑娘。這真是少有的好意。我真不知道該怎樣感激！

客：老丈，你晚上好？

翁：啊，好！托福。你好？

客：老丈，我实在冒昧，我想在你那里讨一杯水喝。我走得渴极了。这地方又没有一个池塘，一个水洼。

翁：哦，可以，可以。你请坐吧。（向女孩）孩子，你拿水来，杯子要洗干净。

（女孩默默地走进土屋去。）

翁：客官，你请坐。你是怎么称呼的。

客：称呼？……我不知道。从我还能记得的时候起，我就只一个人。我不知道我本来叫什么。我一路走，有时人们也随便称呼我，各式各样的，我也记不清楚了，况且相同的称呼也没有听到过第二回。

翁：啊啊。那么，你是从哪里来的呢？

客：（略略迟疑）我不知道。从我还能记得的时候起，我就这么走。

翁：对了。那么，我可以问你到哪里去吗？

客：自然可以。……但是，我不知道。从我还能记得的时候起，我就这么走，要到一个地方去，这地方就在前面。我单记得走了许多路，现在来到这里了。我接着就要走向那边去，（西指）前面！

（女孩小心地捧出一个木杯来，递去。）

客：（接杯）多谢，姑娘。（将水两口喝尽，还杯。）多谢，姑娘。这真是少有的好意。我真不知道该怎样感激！

翁：不要這麼感激。這於你是沒有好處的。

客：是的，這於我沒有好處。可是我現在恢復了一些力氣了。我就要前去。老丈，你大約是久住在這裏的，你可知道前面是怎麼一個所在嗎？

翁：前面？前面，是墳。

客：（詫異地）墳？

孩：不，不，不是的。那裏有許多許多野百合，野薔薇，我也常常去玩過，去看他們的。

客：（西顧，彷彿微笑）不錯。那些地方有許多野百合，野薔薇，我也常常去玩過，去看過的。但是，那是墳。（向老翁）老丈，走完了那墳地之後呢？

翁：走完之後？那我可不知道。我沒有走過。

客：不知道？！

孩：我也不知道。

翁：我單知道南邊，北邊，東邊，你的來路。那是我最熟悉的地方，也許倒是於你們最好的地方。你莫怪我多嘴，據我看來，你已經這麼勞頓了，還不如回轉去，因為你前去也料不定可能走完。

客：料不定可能走完？……（沉思，忽然驚起）那不行！我只得走。回到那裏去，就沒一處沒有名目，沒一處沒有地主，沒一處沒有驅逐和牢籠，沒一處沒有皮面的笑容，沒一處沒有眶外的眼淚。我憎惡他們，我不回轉去！

翁：那也不然。你也會遇見心底的眼淚，為你的悲哀。

客：不。我不願看見他們心底的眼淚，不要他們為我的悲翁：不要这么感激。这于你是没有好处的。

客：是的，这于我没有好处。可是我现在恢复了一些力气了。我就要前去。老丈，你大约是久住在这里的，你可知道前面是怎么一个所在吗？

翁：前面？前面，是坟。

客：（诧异地）坟？

孩：不，不，不的。那里有许多许多野百合，野蔷薇，我也常常去玩过，去看他们的。

客：（西顾，仿佛微笑）不错。那些地方有许多野百合，野蔷薇，我也常常去玩过，去看过的。但是，那是坟。（向老翁）老丈，走完了那坟地之后呢？

翁：走完之后？那我可不知道。我没有走过。

客：不知道？！

孩：我也不知道。

翁：我单知道南边，北边，东边，你的来路。那是我最熟悉的地方，也许倒是于你们最好的地方。你莫怪我多嘴，据我看来，你已经这么劳顿了，还不如回转去，因为你前去也料不定可能走完。

客：料不定可能走完？……（沉思，忽然惊起）那不行！我只得走。回到那里去，就没一处没有名目，没一处没有地主，没一处没有驱逐和牢笼，没一处没有皮面的笑容，没一处没有眶外的眼泪。我憎恶他们，我不回转去！

翁：那也不然。你也会遇见心底的眼泪，为你的悲哀。

客：不。我不愿看见他们心底的眼泪，不要他们为我的悲哀！

翁：那麼，你，（搖頭）你只得走了。

客：是的，我只得走了。況且還有聲音常在前面催促我，叫喚我，使我息不下。 可恨的是我的腳已經走破了，有許多傷，流了許多血。（舉起一足給老人看）因此，我的血不夠了；我要喝些血。但血在哪裏呢？可是我也不願意喝無論誰的血。我只得喝些水，來補充我的血。一路上沒有水，我倒也沒並不感到什麼不足。只是我的力氣太稀薄了，血裏面太多了水的緣故吧。今天連一個小水窪也遇不到，也就是少走了路的緣故吧。

翁：那也未必。太陽下去了，我想，還不如休息一會兒的好吧，像我似的。

客：但是，那前面的聲音叫我走。

翁：我知道。

客：你知道？你知道那聲音嗎？

翁：是的。他似乎曾經也叫過我。

客：那也就是現在叫我的聲音嗎？

翁：那我可不知道。他也就是叫過幾聲，我不理他，他也就不叫了，我也就記不清楚了。

客：唉唉，不理他……。（沉思，忽然吃驚，傾聽著）不行！我還是走的好。我息不下。可恨我的腳已經走破了。（準備走路）

孩：給你！（遞給一片布）裹上你的傷去。

客：多謝，（接取）姑娘。這真是……。這真是極少有的好哀！

翁：那么，你，（摇头）你只得走了。

客：是的，我只得走了。况且还有声音常在前面催促我，叫唤我，使我息不下。 可恨的是我的脚已经走破了，有许多伤，流了许多血。（举起一足给老人看）因此，我的血不够了；我要喝些血。但血在哪里呢？可是我也不愿意喝无论谁的血。我只得喝些水，来补充我的血。一路上没有水，我倒也没并不感到什么不足。只是我的力气太稀薄了，血里面太多了水的缘故吧。今天连一个小水洼也遇不到，也就是少走了路的缘故吧。

翁：那也未必。太阳下去了，我想，还不如休息一会儿的好吧，像我似的。

客：但是，那前面的声音叫我走。

翁：我知道。

客：你知道？你知道那声音吗？

翁：是的。他似乎曾经也叫过我。

客：那也就是现在叫我的声音吗？

翁：那我可不知道。他也就是叫过几声，我不理他，他也就不叫了，我也就记不清楚了。

客：唉唉，不理他……。（沉思，忽然吃惊，倾听着）不行！我还是走的好。我息不下。可恨我的脚已经走破了。（准备走路）

孩：给你！（递给一片布）裹上你的伤去。

客：多谢，（接取）姑娘。这真是……。这真是极少有的好意。這能使我可以走更多的路。（就斷磚坐下，要將布纏在腳踝上）但是，不行！（竭力站起）姑娘，還了你吧，還是裹不下。況且這太多的好意，我沒法感激。

翁：你不要這麼感激，這於你沒有好處。

客：是的，這於我沒有什麼好處。但在我，這佈施是最上的東西了。你看，我全身上可有這樣的？

翁：你不要當真就是。

客：是的，但是我不能。我怕我會這樣：倘使我得到了誰的佈施，我就要像禿鷹看見死屍一樣，在四處徘徊，祝願她的滅亡，給我親眼看見；或者詛咒她以外的一切全都滅亡，連我自己，因為我就應該得到詛咒。但是我還沒有這樣的力量；即使有這力量，我也不願意她有這樣的境遇，因為她們大概總不願意有這樣的境遇。我想，這最穩當。（向女孩）姑娘，你這片布太好，可是太小一點了，還了你吧。

孩：（驚懼，後退）我不要了！你帶走！

客：（似笑）哦哦，……因為我拿過了？

孩：（點頭，指口袋）你裝在那裏，去玩玩。

客：（頹唐地退後）但這背在身上，怎麼走呢，……

翁：你息不下，也就背不動。休息一會，就沒有什麼了。

客：對了，休息……。（默想，但突然驚醒，傾聽）不，我不能！我還是走好。

翁：你總不願意休息嗎？

客：我願意休息。

意。这能使我可以走更多的路。（就断砖坐下，要将布缠在脚踝上）但是，不行！（竭力站起）姑娘，还了你吧，还是裹不下。况且这太多的好意，我没法感激。

翁：你不要这么感激，这于你没有好处。

客：是的，这于我没有什么好处。但在我，这布施是最上的东西了。你看，我全身上可有这样的？

翁：你不要当真就是。

客：是的，但是我不能。我怕我会这样：倘使我得到了谁的布施，我就要像秃鹰看见死尸一样，在四处徘徊，祝愿她的灭亡，给我亲眼看见；或者诅咒她以外的一切全都灭亡，连我自己，因为我就应该得到诅咒。但是我还没有这样的力量；即使有这力量，我也不愿意她有这样的境遇，因为她们大概总不愿意有这样的境遇。我想，这最稳当。（向女孩）姑娘，你这片布太好，可是太小一点了，还了你吧。

孩：（惊惧，后退）我不要了！你带走！

客：（似笑）哦哦，……因为我拿过了？

孩：（点头，指口袋）你装在那里，去玩玩。

客：（颓唐地退后）但这背在身上，怎么走呢，……

翁：你息不下，也就背不动。休息一会，就没有什么了。

客：对了，休息……。（默想，但突然惊醒，倾听）不，我不能！我还是走好。

翁：你总不愿意休息吗？

客：我愿意休息。

翁：那麼，你就休息一會吧。

客：但是，我不能⋯⋯。

翁：你總還是覺得走好嗎？

客：是的，還是走好。

翁：那麼，你也還是走好吧。

客：（將腰一伸）好，我告別了。我很感激你們。（向著女孩）姑娘，這還你，請你收回去。

（女孩驚懼，斂手，躲進土屋裏去。）

翁：你帶去吧。要是太重了，可以隨時拋在墳墓裏面的。

孩：（走向前）啊啊，那不行！

客：啊啊，那不行的。

翁：那麼，你掛在野百合、野薔薇上就是了。

孩：（拍手）哈哈！好！

客：哦哦⋯⋯。

（極暫時中，沉默。）

翁：那麼，再見了。祝你平安。（站起，向女孩）孩子，扶我進去吧。你看，太陽早已下去了。（轉身向門）

客：多謝你們。祝你們平安。（徘徊，沉思，忽然吃驚）然而我不能！我只得走。我還是走好吧⋯⋯。（即刻昂了頭，奮然向西走去）

（女孩扶老人走進土屋，隨即闔了門。過客向野地裏跟蹌地闖進去，夜色跟在他後面。）

翁：那么，你就休息一会吧。

客：但是，我不能……。

翁：你总还是觉得走好吗？

客：是的，还是走好。

翁：那么，你也还是走好吧。

客：（将腰一伸）好，我告别了。我很感激你们。（向着女孩）姑娘，这还你，请你收回去。

（女孩惊惧，敛手，躲进土屋里去。）

翁：你带去吧。要是太重了，可以随时抛在坟墓里面的。

孩：（走向前）啊啊，那不行！

客：啊啊，那不行的。

翁：那么，你挂在野百合、野蔷薇上就是了。

孩：（拍手）哈哈！好！

客：哦哦……。

（极暂时中，沉默。）

翁：那么，再见了。祝你平安。（站起，向女孩）孩子，扶我进去吧。你看，太阳早已下去了。（转身向门）

客：多谢你们。祝你们平安。（徘徊，沉思，忽然吃惊）然而我不能！我只得走。我还是走好吧……。（即刻昂了头，奋然向西走去）

（女孩扶老人走进土屋，随即阖了门。过客向野地里踉踉跄跄地闯进去，夜色跟在他后面。）

# New Words

| | | | | |
|---|---|---|---|---|
| 过客 | 過客 | guòkè | n. | passing traveler |
| 黄昏 | | huánghūn | n. | dusk |
| 或★ | | huò | a. | certain (time, place or person) |
| 老翁 | | lǎowēng | n. | old man |
| 须发 | 鬚髮 | xūfà | n. | beard and hair |
| 长袍 | 長袍 | chángpáo | n. | robe |
| 乌★ | 烏 | wū | a. | dark |
| 眼珠 | | yǎnzhū | n. | eyeball |
| 白地★ | | báidì | n. | white background |
| 方格 | | fānggé | n. | check, square |
| 长衫 | 長衫 | chángshān | n. | long gown |
| 状态 | 狀態 | zhuàngtài | n. | appearance, state |
| 困顿★ | 困頓 | kùndùn | a. | tired, exhausted |
| 倔强★ | 倔強 | juéjiàng | a. | stubborn |
| 眼光★ | | yǎnguāng | n. | look |
| 阴沉 | 陰沉 | yīnchén | a. | gloomy |
| 破碎 | | pòsuì | a. | ragged |
| 胁下★ | 脅下 | xiéxià | n. | area under armpit |
| 支 | | zhī | v. | lean on |
| 等身★ | | děngshēn | a. | equal to the height of one's body |
| 竹杖 | | zhúzhàng | n. | bamboo stick/cane |
| 株 | | zhū | m.w. | for trees/plants |
| 杂 | 雜 | zá | a. | mixed |

| | | | | |
|---|---|---|---|---|
| 瓦砾 | 瓦礫 | wǎlì | *n.* | rubble |
| 荒凉 | 荒涼 | huāngliáng | *a.* | desolate |
| 破败 | 破敗 | pòbài | *a.* | ruined |
| 丛葬 | 叢葬 | cóngzàng | *n.* | dilapidated graveyard |
| 似 | | sì | *prep.* | literary usage for "好像" |
| 土屋★ | | tǔwū | *n.* | house made of earth |
| 扇 | | shàn | *m.w.* | for doors or windows |
| 侧 | 側 | cè | *n.* | side |
| 段 | | duàn | *m.w.* | for parts or segments |
| 枯 | | kū | *a.* | dried up |
| 树根 | 樹根 | shùgēn | *n.* | root of the tree |
| 望★ | | wàng | *v.* | look into the distance |
| 偏偏 | | piānpiān | *adv.* | (stubbornly) insistently |
| 乞丐 | | qǐgài | *n.* | beggar |
| 不见得 | 不見得 | bùjiàn·de | *phr.* | not necessarily |
| 踉跄 | 踉蹡 | liàngqiàng | *a.* | staggering |
| 老丈 | | lǎozhàng | *n.* | a respectful term for an old man |
| 托福 | 託福 | tuōfú | *phr.* | thank you |
| 冒昧★ | | màomèi | *a.* | taking the liberty to excuse |
| 讨 | 討 | tǎo | *v.* | beg |
| 渴 | | kě | *a.* | thirsty |
| 池塘 | | chítáng | *n.* | pond |
| 水洼 | 水窪 | shuǐwā | *n.* | puddle |

| 默默地 | | mòmò·de | a. | quietly |
|---|---|---|---|---|
| 客官 | | kèguān | n. | a polite term for travelers |
| 称呼 | 稱呼 | chēng·hu | v. | address, call |
| 记得 | 記得 | jì·de | v. | remember |
| 况且 | 況且 | kuàngqiě | conj. | in addition, moreover |
| 略 | | lüè | adv. | slightly |
| 自然 | | zìrán | adv. | of course |
| 接着 | 接著 | jiē·zhe | adv. | continuously, thereafter |
| 捧 | | pěng | v. | hold in both hands |
| 递 | 遞 | dì | v. | pass |
| 少有 | | shǎoyǒu | a. | rare |
| 好意 | | hǎoyì | n. | good intention, kindness |
| 感激 | | gǎnjī | v. | appreciate, thank |
| 恢复 | 恢復 | huīfù | v. | recover, regain |
| 力气 | 力氣 | lìqì | n. | strength |
| 所在★ | | suǒzài | n. | place |
| 坟 | 墳 | fén | n. | tomb |
| 诧异 | 詫異 | chàyì | a. | astonished |
| 野 | | yě | a. | wild |
| 百合 | | Bǎihé | p.n. | lily |
| 蔷薇 | 薔薇 | qiángwēi | p.n. | rose |
| 顾★ | 顧 | gù | v. | turn around and look at |
| 仿佛★ | 彷彿 | fǎngfú | v. | look like |

| 微笑 | | wēixiào | v. | smile |
|---|---|---|---|---|
| 来路★ | 來路 | láilù | n. | original road, coming road |
| 劳顿★ | 勞頓 | láodùn | a. | tired, weary |
| 多嘴 | | duōzuǐ | v. | speak out of place |
| 回转 | 回轉 | huízhuǎn | v. | turn back |
| 料不定★ | | liàobùdìng | v. | be difficult to predict, may not be |
| 沉思 | | chénsī | v. | ponder |
| 惊起★ | 驚起 | jīngqǐ | v. | suddenly stand up |
| 名目 | | míngmù | n. | pretext, names of things |
| 地主 | | dìzhǔ | n. | landlord |
| 驱逐 | 驅逐 | qūzhú | v. | expel, drive out |
| 牢笼 | 牢籠 | láolóng | n. | cage, trap, prison |
| 笑容 | | xiàoróng | n. | expression of smile |
| 眶 | | kuàng | n. | area around the eyes |
| 眼泪 | 眼淚 | yǎnlèi | n. | tears |
| 心底 | | xīndǐ | n. | deep in one's heart |
| 悲哀 | | bēi'āi | a. | sorrowful |
| 摇头 | 搖頭 | yáotóu | v. | shake one's head |
| 催促 | | cuīcù | v. | urge |
| 叫唤 | 叫喚 | jiàohuàn | v. | call |
| 息 | | xī | v. | rest |
| 可恨 | | kěhèn | a | hateful; it's a pity that |
| 补充 | 補充 | bǔchōng | v. | add, replenish |

| 不足 | | bùzú | a. | not enough |
|---|---|---|---|---|
| 稀薄 | | xībó | a. | thin, washy |
| 缘故★ | 緣故 | yuāngù | n. | reason |
| 未必★ | | wèibì | adv. | not necessarily |
| 似乎 | | sìhū | adv. | as if |
| 吃惊 | 吃驚 | chījīng | a. | shocked, astonished |
| 倾听 | 傾聽 | qīngtīng | v. | listen attentively to |
| 布 | | bū | n. | cloth |
| 裹 | | guǒ | v. | wrap |
| 接取★ | | jiēqǔ | v. | take, get, receive |
| 就 | | jiù | v. | reach to, go to |
| 断砖 | 斷磚 | duànzhuān | n. | broken brick |
| 缠 | 纏 | chán | v. | bind, wrap |
| 脚踝 | 腳踝 | jiǎohuái | n. | ankle |
| 竭力★ | | jiélì | adv. | doing one's utmost |
| 布施 | 佈施 | bùshī | n. | alms giving |
| 当真★ | 當真 | dāngzhēn | v. | take seriously |
| 倘使★ | | tǎngshǐ | conj. | if, suppose |
| 兀鹰 | 兀鷹 | wùyīng | n. | griffon vulture |
| 死尸 | 死屍 | sǐshī | n. | corpse |
| 徘徊 | | páihuái | v. | walk back and forth |
| 祝愿★ | 祝願 | zhùyuàn | v. | wish |
| 亲眼 | 親眼 | qīnyǎn | adv. | (see) in person |

| 诅咒 | 詛咒 | zǔzhòu | v. | curse |
|---|---|---|---|---|
| 一切 | | yīqiè | n. | all, everything |
| 即使 | | jíshǐ | conj. | even if, even though |
| 境遇 | | jìngyù | n. | circumstance, situation |
| 稳当 | 穩當 | wěn·dang | a. | proper, safe |
| 惊惧 | 驚懼 | jīngjù | a. | frightened, panicky |
| 后退 | 後退 | hòutuì | v. | back off, step back |
| 装 | 裝 | zhuāng | v. | pack |
| 颓唐 | 頹唐 | tuítáng | a. | dejected, in dismay |
| 背 | | bēi | v. | carry on the back |
| 默想 | | mòxiǎng | v. | think quietly |
| 惊醒 | 驚醒 | jīngxǐng | v. | wake up with a start |
| 腰 | | yāo | n. | waist |
| 伸 | | shēn | v. | stretch |
| 告别★ | | gàobié | v. | say goodbye |
| 收回 | | shōuhuí | v. | take back |
| 敛 | 斂 | liǎn | v. | hold back |
| 躲 | | duǒ | v. | hide |
| 随时 | 隨時 | suíshí | adv. | at any time |
| 抛 | 拋 | pāo | v. | throw |
| 拍手 | | pāishǒu | v. | clap hands |
| 平安 | | píng'ān | a. | safe |
| 然而★ | | rán'ér | conj. | however |

| | | | | |
|---|---|---|---|---|
| 即刻★ | | jíkè | *adv.* | at once |
| 昂头 | 昂頭 | ángtóu | *v.* | hold one's head high |
| 奋然 | 奮然 | fènrán | *adv.* | vigorously, courageously |
| 随即★ | 隨即 | suíjí | *adv.* | right after |
| 阖 | 闔 | hé | *v.* | close, shut |
| 野地 | | yědì | *n.* | wilderness |
| 闯 | 闖 | chuǎng | *v.* | rush |
| 夜色 | | yèsè | *n.* | the dim light of night |
| 跟 | | gēn | *v.* | follow |

# Written Language (Literary Style)

Literary style, 書面語 / 书面语 , is widely used in legal or governmental documents and old literature works. In many aspects, written language is different from spoken language. Some of the written language has its special vocabulary. Also, In written language, some double-character verbs, especially auxiliary verbs, are likely to be shortened into single-character form. The following are some examples:

| 書面語/书面语 | 口語/口语 | 英文 |
|---|---|---|
| 约/約 | 大约/大約 | about |
| 处/處 | 地方 | place |
| 皆 | 都 | all |
| 赤 | 光 | bare |
| 将/將 | 把 | |
| 尽/盡 | 完 | finish, complete |

| | | |
|---|---|---|
| 莫 | 不要 | do not |
| 倘(若、倘使) | 如果 | if |
| 似 | 好像 | look like, resemble |
| 单/單 | 只（只是） | only |
| 于/於 | 对/對 | for |
| 不然（然） | 不是這樣/不是这样（這樣/这样） | not like this/such |
| 最上(上) | 最好（好、最好） | best |
| 可恨 | 可惜 | pity, shame |
| 极/極 | 非常 | extremely |
| 着/著 | 穿 | wear |
| 已 | 已经/已經 | already |

# 口头作业
# Oral Practice

Answes the fallowing guestions according to the text.

◉ 这个故事发生在什么时间、什么地方？

◉ 故事里有几个人物，他们都有什么特点？

◉ 过客从哪里来，他要到哪里去？

◉ 过客为什么一直不停地向前走，在老翁看来？他的"走"有意义吗？

◉ 过客为什么要在老翁这里停留？

- 过客前面的路上有什么？

- 过客为什么不接受小女孩的布施？

- 老翁对过客的建议是什么？他为什么有这样的建议？过客接受了他的建议了吗？为什么？

- 皮面的笑容，眶外的眼泪各有什么意思？

## Use speaking language to explain the paragraphs below.

- 约三四十岁，状态困顿倔强，眼光阴沉，黑须，乱发，黑色短衣裤皆破碎，赤足着破鞋，胁下挂一个口袋，支着等身的竹杖。

- （接杯）多谢，姑娘。（将水两口喝尽，还杯）多谢，姑娘。这真是少有的好意。我真不知道该怎样感激！

## Topic For Discussion

- 三个人物各代表人生的什么阶段？

- 谈谈你对人生的看法和对过客的理解。

## 书面作业

# Writing Tasks

I.   Translate the following passage into colloquial Chinese.

1. 我单知道南边，北边，东边，你的来路。那是我最熟悉的地方，也许倒是于你们最好的地方。你莫怪我多嘴，据我看来，你已经这么劳顿了，还不如回转去，因为你前去也料不定可能走完。

2. 是的，这于我没有什么好处。但在我，这布施是最上的东西了。你看，我全身上可有这样的？

II. **Make a sentence by using the structure provided. Pay attention to the difference between the structures.**

即使……也…… V.S. 虽然……但是……

即使……也……

_____

_____

虽然……但是……

_____

_____

III. **Composition**

比较以前学过的《一件小事》，谈谈你对这两篇文章的理解。 你更喜欢哪篇文章，为什么？

# 词表（汉语拼音索引）

## Chinese Index

### A

| | | | | |
|---|---|---|---|---|
| 阿公△ | āgōng | n. | (dialect) grandpa | L18 |
| 挨打 | áidǎ | v. | get hit, be spanked | L17 |
| 癌症 | áizhèng | n. | cancer | L10 |
| 艾滋病 | àizībìng | n. | AIDS | L10 |
| 爱好 | àihǎo | n. | hobby | L4 |
| 安定 | āndìng | n./a. | stability; stable | L16 |
| 安徽 | ānhuī | p.n. | a province in southeastern China | L11 |
| 安眠药 | ānmiányào | n. | soporific, sleeping pill | L10 |
| 安慰 | ānwèi | v. | comfort, console | L7 |
| 安装 | ānzhuāng | v. | install | L6 |
| 按照 | ànzhào | prep. | based on, following | L5 |
| 案件 | ànjiàn | n. | case | L5 |
| 昂头 | ángtóu | v. | hold one's head high | L25 |
| 熬 | áo | v. | suffer with patience | L8 |
| 澳洲 | Àozhōu | p.n. | Australia | L19 |

### B

| | | | | |
|---|---|---|---|---|
| 八十年代 | bāshí niándài | n. | 1980s: 1980-1989 | L1 |
| 巴拿马 | Bānámǎ | p.n. | Panama | L24 |
| 巴掌 | bā·zhang | n. | palm of hand | L12 |
| 把 | bǎ | m.w. | for something you can hold in your hand | L4 |
| 罢了 | bà·le | part | indicating "that's all, only, nothing much" | L8 |
| 白菜 | báicài | n. | cabbage | L3 |
| 白地★ | báidì | n. | white background | L25 |
| 白日梦 | báirìmèng | n. | day dream | L13 |
| 白珊 | Bái Shān | p.n. | name of a person | L4 |
| 白天 | báitiān | adv. | in the daytime | L10 |
| 百合 | Bǎihé | p.n. | lily | L25 |
| 摆地摊 | bǎidìtān | v. | hawk goods on the street | L16 |
| 呗△ | bei | part. | indicates obviousness | L24 |
| 班长 | bānzhǎng | n. | class leader | L18 |
| 班门弄斧 | bānménnòngfǔ | v. | Lit. use an axe at the gate of Lu Ban, the master carpenter; show one's scanty knowledge in front of an expert | L12 |
| 搬 | bān | v. | move | L7/19 |
| 版 | bǎn | n. | version; page (of a newspaper) | L6/21 |
| 版面 | bǎnmiàn | n. | space, layout | L22 |
| 办 | bàn | v. | hold, set up, manage; deal with, cope with | L3/15 |
| 办法 | bànfǎ | n. | solution, way of doing things | L5 |
| 半瓶醋 | bànpíngcù | n. | lack deep understanding | L13 |
| 伴侣 | bànlǚ | n. | partner | L4 |
| 绊 | bàn | v. | stumble | L24 |
| 包括 | bāokuò | v. | include | L11 |
| 饱 | bǎo | a. | full | L18 |
| 保持 | bǎochí | v. | keep | L2 |
| 保护 | bǎohù | v./n. | protect; protection | L14 |
| 保留 | bǎoliú | v. | retain, to reserve | L20 |
| 保守 | bǎoshǒu | n./a. | conservativeness; conservative | L23 |

| 报导 | bàodǎo | v./n. | report | L5/21 |
|------|--------|-------|--------|-------|
| 报告 | bàogào | n. | essay, paper, report | L10 |
| 报刊 | bàokān | n. | newspaper and journal | L4 |
| 抱怨 | bàoyuàn | v. | complain | L7 |
| 暴力 | bàolì | n. | violence | |
| 悲哀 | bēi'āi | a. | sorrowful | L25 |
| 悲惨 | bēicǎn | a. | (life) sad, tragic | L3 |
| 背 | bēi | v. | carry on the back | L25 |
| 背 | bèi | v. | recite | L8 |
| 背景 | bèijǐng | n. | background | L21 |
| 本科 | běnkē | n. | undergraduate | L2 |
| 本人 | běnrén | pron. | myself | L4 |
| 崩溃 | bēngkuì | v. | collapse | L14 |
| 鼻血 | bíxiě | n. | nose blood | L18 |
| 比 | bǐ | v. | compete, play a game | L12 |
| 比较文学 | bǐjiàowénxué | n. | comparative literature | L7 |
| 比例 | bǐlì | n. | proportion | L18 |
| 比如 | bǐrú | phr. | for instance, for example | L2/20 |
| 彼此★ | bǐcǐ | adv. | each other | L20 |
| 笔记 | bǐjì | n. | notes | L23 |
| 笔者★ | bǐzhě | n. | the author (refer to himself/herself) | L23 |
| 笔直 | bǐzhí | a. | perfectly straight | L17 |
| 必不可少★ | bìbùkěshǎo | a. | indispensable | L21 |
| 必须 | bìxū | aux. | have to, must | L17 |
| 毕竟 | bìjìng | adv. | after all | L15 |
| 毕业 | bìyè | v. | graduate | L2 |
| 闭 | bì | v. | close (eyes, mouth, etc.) | L1 |
| 臂膊 | bìbó | n. | arm | L8 |
| 便 | biàn | adv. | formal usage for "就" | L8 |
| 变化 | biànhuà | n./v. | change | L4 |
| 遍地 | biàndì | adv. | everywhere | L7 |
| 遍及 | biànjí | v. | extend all over | L4 |
| 辩 | biàn | v. | argue | L18 |
| 标题 | biāotí | n. | heading, title | L16 |
| 标准 | biāozhǔn | a. | standard | L23 |
| 表哥 | biǎogē | n. | cousin (mother's side) | L13 |
| 表面 | biǎomiàn | n. | surface | L23 |
| 表示 | biǎoshì | v. | express | L11 |
| 表现 | biǎoxiàn | n. | demonstration, reflection, performance | L5 |
| 冰心 | Bīngxīn | n. | pure heart | L4 |
| 病人 | bìngrén | n. | patient | L10 |
| 波士顿 | Bōshìdùn | n. | Boston | L10 |
| 播放 | bōfàng | v. | broadcast | L24 |
| 播音员 | bōyīnyuán | n. | news announcer | L24 |
| 博士后 | bóshìhòu | n. | postdoctorate | L7 |
| 博物馆 | bówùguǎn | n. | museum | L11 |
| 补充 | bǔchōng | v. | add, replenish | L25 |
| 不安定 | bùāndìng | n. | instability | L5 |
| 不得不 | bu·debù | aux. | have to (reluctantly) | L8 |
| 不断 | bùduàn | a. | unceasing, continuous, incessant | L5/24 |
| 不管 | bùguǎn | conj. | no matter | L6 |
| 不光彩 | bùguāngcǎi | a. | disgraceful | L16 |
| 不见得 | bùjiàndé | phr. | not necessarily | L25 |
| 不良 | bùliáng | a. | bad, negative | L5 |
| 不时 | bùshí | adv. | frequently, time and again | L24 |
| 不是滋味 | bùshìzīwèi | v. | feel awkward, a bit uncomfortable | L24 |
| 不限 | bùxiàn | v. | have no requirement or limitation | L4 |

| 不休 | bùxiū | adv. | incessantly | L3 |
|---|---|---|---|---|
| 不一会儿 | bùyīhuìr | adv. | before long, shortly | L7 |
| 不自觉 | bùzìjué | a. | unaware, unconscious | L24 |
| 不足 | bùzú | a. | not enough | L25 |
| 布 | bù | n. | cloth | L25 |
| 布景 | bùjǐng | n. | props, setting | L11 |
| 布施 | bùshī | n. | alms giving | L25 |
| 步入 | bùrù | v. | step toward, approach | L4 |
| 部 | bù | n. | ministry | L1 |
| 部长 | bùzhǎng | n. | Minister | L22 |

## C

| 才疏学浅 | cáishūxuéqiǎn | a. | have little talent and less learning; one's knowledge is flimsy | L12 |
|---|---|---|---|---|
| 财产 | cáichǎn | n. | property | L21 |
| 采访 | cǎifǎng | v. | interview | L1 |
| 参观 | cānguān | v. | visit (a place) | L14 |
| 参加 | cānjiā | v. | join | L3 |
| 参与 | cānyù | v. | participate | Ltt6/16 |
| 惭愧 | cánkuì | v. | feel ashamed | L8 |
| 藏 | cáng | v. | hide | L8 |
| 藏书 | cángshū | n. | collection of books | L4 |
| 草率 | cǎoshuài | a. | rushed, without careful consideration | L5 |
| 草药 | cǎoyào | n. | herbal medicine | L10 |
| 册 | cè | m.w. | for bound items | L1 |
| 侧 | cè | n. | side | L25 |
| 层面 | céngmiàn | n. | layer | L23 |
| 查理 | Chálǐ | p.n. | phonetic translation of Charles | L10 |
| 诧异 | chàyì | a. | surprised, astonished | L8/25 |
| 差 | chà | a. | bad | L10 |
| 搀 | chān | v. | help by the arm | L8 |
| 缠 | chán | v. | bind, wrap | L25 |
| 产品 | chǎn·pǐn | n. | product | L16 |
| 长处 | chángchu | n. | strength | L2 |
| 长袍 | chángpáo | n. | robe | L25 |
| 长衫 | chángshān | n. | long gown | L25 |
| 长寿 | chángshòu | a. | long-lived | L10 |
| 常驻★ | chángzhù | v. | reside permanently | L19 |
| 厂长 | chǎngzhǎng | n. | factory manager | L16 |
| 场 | chǎng | m.w. | for concerts, movies, etc. | L3 |
| 场合 | chǎnghé | n. | occasion | L23 |
| 畅销 | chàngxiāo | a. | best selling | L1 |
| 畅销书 | chàngxiāoshū | n. | best-seller | L1 |
| 抄 | chāo | v. | copy, plagiarize | L1 |
| 超过 | chāoguò | v. | surpass, exceed, be over | L14/19 |
| 吵 | chǎo | a. | noisy | L3 |
| 吵架 | chǎojià | v. | quarrel, fight | L5 |
| 吵嘴 | chǎozuǐ | n./v. | quarrel, tiff | L15 |
| 炒 | chǎo | v./n. | stir and fry; stir-fry | L23 |
| 炒冷饭 | chǎolěngfàn | v. | reheat cold rice; rehash old topics | L13 |
| 车把 | chēbǎ | n. | shaft | L8 |
| 车夫 | chēfū | n. | chauffeur of rickshaw | L8 |
| 车厢 | chēxiāng | n. | inside of a bus, car of a train | L15 |
| 彻底 | chèdǐ | a. | complete, thorough | L16 |
| 撤销 | chèxiāo | v. | dissolve, pull out | L16 |
| 沉思 | chénsī | v. | ponder | L25 |

# D

| 答案 | dá'àn | n. | answer | L23 |
| 打 | dǎ | v. | key in | L6 |
| 打动 | dǎdòng | v. | touch | L4 |
| 打工 | dǎgōng | v. | do part-time or temporary job | L1 |
| 打击 | dǎjī | n./v. | blow, attack | L15 |
| 打架 | dǎjià | v. | fist-fight | L15 |
| 打量 | dǎ·liang | v. | size up | L24 |
| 打退堂鼓 | dǎtuìtánggǔ | v. | beat the drum of retreat | L13 |
| 打仗 | dǎzhàng | v. | have a war/battle | L24 |
| 打招呼 | dǎzhāo·hu | v. | greet | L9 |
| 打字机 | dǎzìjī | n. | typewriter | L6 |
| 大兵△ | dàbīng | n. | (SL) soldier | L24 |
| 大道 | dàdào | n. | avenue, boulevard | L8 |
| 大夫 | dài·fu | n. | doctor | L10 |
| 大规模 | dàguīmó | a. | in big scale | L23 |
| 大亨★ | dàhēng | n. | tycoon | L24 |
| 大姐△ | dàjiě | n. | (informal) middle-aged woman | L15 |
| 大款△ | dàkuǎn | n. | (SL) millionaire | L16 |
| 大力 | dàlì | adv. | energetically, vigorously | L16 |
| 大量 | dàliàng | adv. | in large quantity, numerously | L5 |
| 大陆 | dàlù | n. | Mainland China | L19 |
| 大爷△ | dà·ye | n. | (informal) old man | L15 |
| 大约 | dàyuē | adv. | about to | L8 |
| 大众 | dàzhòng | n. | people, the masses | L23 |
| 大做文章 | dàzuòwénzhāng | v. | make excessive reports | L5 |
| 代表 | dàibiǎo | n./v. | representative; represent | L3/20 |
| 代替 | dàitì | v. | replace | L6 |
| 戴高帽 | dàigāomào | v. | put a high hat on a person; to flatter | L13 |
| 担任 | dānrèn | v. | serve, be in charge of | L11 |
| 担心 | dānxīn | v./n | worry about; worry | L6 |
| 耽误 | dān·wu | v. | delay, hold up | L15 |
| 当 | dāng | v. | treat, see as | L15 |
| 当时 | dāngshí | adv. | at that time | L3 |
| 当真★ | dàngzhēn | v. | take seriously | L25 |
| 党 | dǎng | n. | (political) party | L19 |
| 导游 | dǎoyóu | n. | tour guide | L16 |
| 导致 | dǎozhì | v. | lead to | L5 |
| 倒 | dǎo | v. | act as a middleman | L16 |
| 倒闭 | dǎobì | v. | close down (because of bankrupcy) | L12 |
| 倒爷△ | dǎoyé | n. | (SL) self-made man; one rich through business acumen. "Bit shot." | L16 |
| 到达 | dàodá | v. | arrive | L22 |
| 道德 | dàodé | n. | virtue | L5 |
| 道路 | dàolù | n. | road | L4 |
| 得体 | détǐ | a. | appropriate | L15 |
| 德国 | Déguó | n. | Germany | L14 |
| 的确 | díquè | adv. | indeed | L2 |
| 灯光 | dēngguāng | n. | light | L11 |
| 等身★ | děngshēn | a. | equal to the height of one's body | L25 |
| 等于 | děngyú | v. | equal to | L12 |
| 邓丽君 | Dèng Lìjūn | p.n. | name of a person | L3 |
| 邓小平 | Dèng Xiǎopíng | p.n. | name of a person | L20 |
| 低 | dī | v. | lower | L24 |
| 敌人 | dírén | n. | enemy | L14 |

词表（汉语拼音索引）

| 堕胎 | duòtāi | v./n. | abort; abortion | L20 |
|---|---|---|---|---|

# E

| 耳光 | ěrguāng | n. | slap on the ear/face | L18 |
|---|---|---|---|---|
| 耳闻目睹 | ěrwénmùdǔ | v. | hear and see | L8 |
| 二百五△ | èrbǎiwǔ | n. | a stupid person, a lunatic | L15 |
| 二战 | èrzhàn | n. | World War II | L14 |

# F

| 发表 | fābiǎo | v. | post, publish | L20 |
|---|---|---|---|---|
| 发财 | fācái | v. | (CL) make a fortune | L13 |
| 发达 | fādá | a. | developed | L2 |
| 发明 | fāmíng | n./v. | invention; invent | L3/16 |
| 发生 | fāshēng | v. | happen, occur, take place | L14/21 |
| 发现 | fāxiàn | v. | discover | L2 |
| 发泄 | fāxiè | v. | let off, vent | L17 |
| 发言 | fāyán | v./n. | state one's opinions; statement, utterance | L5 |
| 法 | fǎ | n. | suffix for law | L5 |
| 法官 | fǎguān | n. | (court) judge | L5 |
| 法学 | fǎxué | n. | law (as a profession) | L5 |
| 法制 | fǎzhì | a. | legal | L5 |
| 法制报 | Fǎzhìbào | n. | Legal Daily | L21 |
| 烦 | fán | v. | be vexed, irritated, anoyed | L15 |
| 蕃茄 | fānqié | n. | tomato | L18 |
| 反对 | fǎnduì | v. | oppose | L2/20 |
| 反对党 | fǎnduìdǎng | n. | opposition party | L20 |
| 反复 | fǎnfù | adv. | repeatedly, over and over | L22 |
| 反映 | fǎnyìng | v. | reflect | L14 |
| 犯错 | fàncuò | v. | make a mistake | L17 |
| 犯罪 | fànzuì | v. | commit crime | L5 |
| 方格 | fānggé | n. | check, square | L25 |
| 方式 | fāngshì | n. | style, mode, pattern | L10/21 |
| 方言 | fāngyán | n. | dialect | L11 |
| 房地产 | fángdìchǎn | n. | real estate | L13 |
| 仿佛★ | fǎngfú | v. | look like | L25 |
| 访问 | fǎngwèn | v. | visit (an organization, institution, etc.) | L2 |
| 放声痛哭★ | fàngshēngtòngkū | v. | cry unrestrainedly, cry loudly | L18 |
| 放心 | fàngxīn | v. | rest assured | L16 |
| 非法 | fēifǎ | a. | illegal | L1 |
| 非洲 | Fēizhōu | p.n. | Africa | L21 |
| 匪徒 | fěitú | n. | bandit, gangster | L22 |
| 分 | fēn | n. | percentage | L3 |
| 分明 | fēnmíng | a. | clear, vivid | L8 |
| 分手 | fēnshǒu | v. | break up, separate | L7 |
| 分驻所 | fēnzhùsuǒ | n. | branch station | L8 |
| 纷纷 | fēnfēn | adv. | one after another | L16 |
| 坟 | fén | n. | tomb | L25 |
| 奋然 | fènrán | adv. | vigorously, courageously | L25 |
| 丰富 | fēngfù | n./a. | abundance; abundant | L5 |
| 丰收 | fēngshōu | n. | abundant harvest | L24 |
| 风波 | fēngbō | n. | disturbance | L9 |
| 风格 | fēnggé | n. | style | L3 |
| 封 | fēng | m.w. | for letter | L7 |
| 疯狂 | fēngkuáng | a. | mad | L2 |
| 佛教 | Fójiào | n. | Buddhism | L23 |

| 否认 | fǒurèn | v. | deny | L20 |
| 否则 | fǒuzé | conj. | otherwise | L8 |
| 夫妻 | fūqī | n. | husband and wife | L5 |
| 肤色 | fūsè | n. | complexion | L18 |
| 肤色各异★ | fūsègèyì | a. | (people) of different colors | L24 |
| 伏 | fú | v. | lie with face down | L8 |
| 扶 | fú | v. | support with hand | L8 |
| 服务业 | fúwùyè | n. | service industry | L16 |
| 服务员 | fúwùyuán | n. | waiter/waitress | L7 |
| 服装 | fúzhuāng | n. | clothes, dress clothing, costume | L1/23 |
| 浮 | fú | v. | float, emerge | L8/18 |
| 浮尘 | fúchén | n. | floating dust | L8 |
| 浮现 | fúxiàn | v. | appear (in one's mind) | L18 |
| 幅 | fú | m.w. | for textile or picture | L10 |
| 幅度 | fúdù | n. | scale, extent | L5 |
| 腐败 | fǔbài | n. | corruption | L14 |
| 妇联 | fùlián | n. | Women's Association | L5 |
| 负★ | fù | n./v. | literary usage for "输" | L24 |
| 负担 | fùdān | v. | afford | L1 |
| 复杂 | fùzá | a. | complex, complicated | L5 |
| 赴★ | fù | v. | (formal usage) leave for, go to | L22 |
| 副 | fù | a. | (prefix for) vice- | L16 |
| 副 | fù | m.w. | for a set of Chinese medicine | L10 |
| 副词 | fùcí | n. | adverb | L22 |
| 副业 | fùyè | n. | side job | L16 |
| 副作用 | fùzuòyòng | n. | side effect | L16 |
| 傅高义 | Fù Gāoyì | p.n. | Ezra Vogel | L14 |

# G

| 改善 | gǎishàn | v./n. | improve; improvement | L19 |
| 改天 | gǎitiān | adv. | some other day | L3 |
| 改行 | gǎiháng | v. | change one's career | L11 |
| 改造 | gǎizào | v. | transform | L3 |
| 干 | gān | a. | slim, skinny | L15 |
| 干部 | gànbù | n. | official, staff | L24 |
| 干烧虾 | gānshāoxiā | n. | Sichuan hot and sweet shrimps | L7 |
| 赶紧 | gǎnjǐn | adv. | hurriedly | L16 |
| 赶上 | gǎnshàng | v. | make it, catch up | L2 |
| 感 | gǎn | n. | sense | L4 |
| 感动 | gǎndòng | v. | touch (emotionally) | L3 |
| 感激 | gǎnjī | v. | appreciate, thank | L25 |
| 感慨 | gǎnkǎi | adv./n./v. | sighingly, emotionally; sigh with emotion | L7/24 |
| 感冒 | gǎnmào | v. | have a flu | L10 |
| 感谢 | gǎnxiè | v. | thank, appreciate | L17 |
| 感谢信 | gǎnxièxìn | n. | a thank-you letter | L16 |
| 高材生 | gāocáishēng | n. | top student | L7 |
| 高达 | gāodá | v. | reach as high as…, up to | L16 |
| 高等教育 | gāoděngjiàoyù | n. | higher education | L2 |
| 高级 | gāojí | a. | higher-class | L1 |
| 高价 | gāojià | n. | high price | L16 |
| 高考 | gāokǎo | n. | college entrance examination | L21 |
| 高了一截△ | gāo · leyījié | v. | (CL) become taller | L24 |
| 告别★ | gàobié | v. | say goodbye | L25 |
| 割掉 | gēdiào | v. | cut out | L16 |
| 搁起 | gēqǐ | v. | put aside | L8 |
| 歌词 | gēcí | n. | words of a song | L3 |

| 歌剧 | gējù | n. | opera | L11 |
|---|---|---|---|---|
| 歌曲 | gēqǔ | n. | song | L3 |
| 歌手 | gēshǒu | n. | singer | L3 |
| 歌星 | gēxīng | n. | singer | L3 |
| 革命 | gémìng | n. | Revolution | L3 |
| 个人 | gèrén | a./n. | personal; individual | L2/20 |
| 各自 | gèzì | adv. | Respectively | L9 |
| 根本 | gēnběn | a. | fundamental, basic | L15 |
| 根据 | gēnjù | prep. | according to | L1 |
| 跟 | gēn | v. | follow | L25 |
| 工具 | gōngjù | n. | tool | L2 |
| 工人 | gōngrén | n. | worker | L19 |
| 工艺品 | gōngyìpǐn | n. | arts and crafts | L16 |
| 工资 | gōngzī | n. | salary | L2 |
| 公认 | gōngrèn | a. | well recognized | L7 |
| 公园 | gōngyuán | n. | park | L14 |
| 供应 | gōngyìng | n. | supply | L24 |
| 宫保鸡丁 | Gōngbǎo jīdīng | n. | diced chicken in spicy sauce | L23 |
| 共产党 | Gōngchǎndǎng | n. | the Communist Party | L20 |
| 共识 | gòngshí | n. | consensus | L16 |
| 共同 | gòngtóng | a. | common | L18 |
| 购买 | gòumǎi | v. | purchase | L16 |
| 购物 | gòuwù | v. | do shopping | L2 |
| 估计△ | gūjì | v. | guess, estimate | L15 |
| 姑娘△ | gū·niang | n. | (informal) young girl | L15 |
| 姑且 | gūqiě | adv. | for the time being | L8 |
| 孤独 | gūdú | a. | lonely | L4 |
| 孤掌难鸣 | gūzhǎngnánmíng | v. | Lit. a lone hand cannot clap; it's difficult to achieve anything without company | L12 |
| 古代 | gǔdài | n. | ancient times | L3 |
| 古典 | gǔdiǎn | a. | classical | L3 |
| 股 | gǔ | m.w. | measure word for thend | L16 |
| 股票 | gǔpiào | n. | stock | L12 |
| 鼓励 | gǔlì | v./n. | encourage; encouragement | L16 |
| 固定 | gùdìng | a. | stable, regular | L4 |
| 固有 | gùyǒu | a. | intrinsic, inherent | L23 |
| 故事 | gù·shi | n. | story | L11 |
| 顾★ | gù | v. | turn around and look at | L25 |
| 顾问 | gùwèn | n. | consultant | L16 |
| 雇 | gù | v. | hire | L8 |
| 瓜子 | guāzǐ | n. | melon seed | L11 |
| 刮 | guā | v. | blow | L8 |
| 挂 | guà | v. | hang | L10 |
| 拐子 | guǎi·zi | n. | abductor | L9 |
| 怪 | guài | v. | to blame | L8 |
| 关系 | guānxì | n. | relations | L1 |
| 关心 | guānxīn | v. | care about, be concerned about | L5/16 |
| 关于 | guānyú | prep. | about, regarding | L3 |
| 观察 | guānchá | n./v. | observation; observe | L5 |
| 观点 | guāndiǎn | n. | viewpoint | L20 |
| 观念 | guānniàn | n. | notion, concept | L5/23 |
| 观众 | guānzhòng | n. | the audience | L11 |
| 官方 | guānfāng | a. | official | L19 |
| 管 | guǎn | v. | control, manage | L1 |
| 惯 | guàn | a. | indicating "get used to" | |
| 惯用语 | guànyòngyǔ | n. | idioms | L13 |
| 光 | guāng | a./adv. | indicating "out"; merely, simply | L1 |

| 光盘 | guāngpán | n. | CD | L3 |
|---|---|---|---|---|
| 广告 | guǎnggào | n. | advertisement, TV commercial | L1 |
| 广州 | Guǎngzhōu | p.n. | a city in the southern part of China | L14 |
| 规定 | guīdìng | n. | regulation, rule | L1 |
| 规律 | guīlǜ | n. | regularity, law (not in legal sense) | L10 |
| 贵国★ | guìguó | n. | your honorable country (polite form) | L20 |
| 国粹 | guócuì | n. | quintessence of Chinese culture | L11 |
| 国防部 | guófángbù | n. | Ministry of Defense | L14 |
| 国画 | guóhuà | n. | Chinese painting | L11 |
| 国籍 | guójí | n. | nationality | L4 |
| 国际 | guójì | a. | international | L1/21 |
| 国民党 | Guómíndǎng | p.n. | Nationalist Party (KuoMinTang) | L19 |
| 国内 | guónèi | a. | domestic, internal | L21 |
| 国营企业 | guóyíngqǐyè | n. | state-owned enterprise | L16 |
| 掴掌 | guózhǎng | v. | slap | L18 |
| 裹 | guǒ | v. | wrap | L25 |
| 过程 | guòchéng | n. | process | L14 |
| 过奖 | guòjiǎng | v. | over-praise; be flattered | L12 |
| 过客 | guòkè | n. | passing traveler | L25 |
| 过时 | guòshí | a. | out-dated | L5 |

# H

| 海外 | hǎiwài | n./a. | the overseas; overseas | L20 |
|---|---|---|---|---|
| 海湾 | hǎiwān | n. | gulf | L24 |
| 骇人听闻★ | hàiréntīngwén | a. | shocking | L21 |
| 害 | hài | n. | do harm to | L17 |
| 含蓄 | hánxù | a. | implicit, suggestive | L4 |
| 寒假 | hánjià | n. | winter vacation | L1 |
| 韩国 | Hánguó | n. | Korea | L14 |
| 韩建平 | Hán Jiànpíng | p.n. | name of a person | L5 |
| 汉代 | Hàndài | n. | the Han dynasty (206 B.C.-220 A.D.) | L16 |
| 汉武帝 | Hànwǔdì | p.n. | Emperor Wu of the Han dynasty (206 B.C-220 A.D.) | L23 |
| 毫不困难 | háobùkùn·nan | adv. | without any difficulty | L6 |
| 毫不相干★ | háobùxiānggān | a. | totally unrelated | L15 |
| 好处 | hǎo·chu | n. | advantage, good point | L14 |
| 好意 | hǎoyì | n. | good intention, kindness | L25 |
| 号脉 | hàomài | v. | feel pulse | L10 |
| 和平 | hépíng | n./a. | peace; peaceful | L23 |
| 和气 | hé·qi | a. | easygoing, affable | L24 |
| 盒 | hé | m.w. | for box | L16 |
| 阖 | hé | v. | close, shut | L25 |
| 嘿 | hēi | interj. | Hey | L3 |
| 痕迹 | hénjì | n. | traces | L8 |
| 很少 | hěnshǎo | adv. | seldom | L3 |
| 横笛 | héngdí | n. | flute | L4/23 |
| 横截 | héng jié | v. | (fiercely) cross | L8 |
| 红绿灯 | hónglǜdēng | n. | traffic signal | L21 |
| 红娘 | hóngniáng | n. | marriage broker, matchmaker | L4 |
| 后退 | hòutuì | v. | back off, step back | L25 |
| 后影 | hòuyǐng | n. | the sight of one's back | L8 |
| 呼唤 | hūhuàn | v. | call | L25 |
| 胡 | Hú | n. | the Hu people (general term non-Han people in the North and West in ancient times.) | L23 |
| 胡锦涛 | Hú Jǐntāo | p.n. | | L22 |
| 胡琴 | hú·qin | n. | Chinese fiddle | L23 |
| 湖北 | Húběi | p.n. | a province in southern China | L11 |

| 互联网 | hùliánwǎng | n. | internet, world wide web | L6 |
|---|---|---|---|---|
| 沪 | hù | p.n. | simple term for Shanghai | L22 |
| 花 | huā | a. | flowery, various | L11 |
| 花白 | huābái | a. | gray and white | L8 |
| 化妆 | huàzhuāng | v. | put on makeup | L15 |
| 化妆品 | huàzhuāngpǐn | n. | cosmetics | L1 |
| 画 | huà | v. | draw | L18 |
| 画龙点睛 | huàlóngdiǎnjīng | a. | Lit. add eyes to the painted dragon, add a word or two to clinch a poin | L12 |
| 画面 | huàmiàn | n. | picture, image | L24 |
| 画蛇添足 | huàshétiānzú | a. | Lit. draw a snake then add feet; go too far | L12 |
| 话剧 | huàjù | n. | (modern) play | L11 |
| 坏水△ | huàishuǐ | n. | bad water; evil ideas | L15 |
| 环境 | huánjìng | n. | environment | L20 |
| 环球 | huánqiú | a. | global | L16 |
| 荒凉 | huāngliáng | a. | desolate | L25 |
| 荒野 | huāngyě | n. | the wild | L9 |
| 皇帝 | huángdì | n. | emperor | L16 |
| 黄昏 | huánghūn | n. | dusk | L25 |
| 灰尘 | huīchén | n. | dust | L8 |
| 恢复 | huīfù | v. | recover, regain | L25 |
| 回 | huí | n. | back | L15 |
| 回扣 | huíkòu | n. | illegal commission | L16 |
| 回忆 | huíyì | n. | memory, recollection | L18 |
| 回转 | huízhuǎn | v. | turn back | L25 |
| 会计 | kuàijì | n. | accounting | L13 |
| 会见★ | huìjiàn | v. | meet | L22 |
| 会谈★ | huìtán | v./n. | meet and talk; meeting | L22 |
| 会议 | huìyì | n. | conference, meeting | L12. |
| 婚史 | hūnshǐ | n. | marital history | L4 |
| 混合 | hùnhé | v. | mix up | L11 |
| 活 | huó | a. | live | L21 |
| 活力 | huólì | n. | vitality | L8 |
| 活跃 | huóyuè | a. | active | L21 |
| 火气 | huǒqì | n. | anger | L17 |
| 火灾 | huǒzāi | n. | fire accident | L21 |
| 或★ | huò | a. | certain (time, place or person) | L25 |

## J

| 机会 | jīhuì | n. | opportunity | L2 |
|---|---|---|---|---|
| 机器 | jīqì | n. | machine | L16 |
| 基本 | jīběn | a. | basic, fundamental | L20 |
| 基本上 | jīběn·shang | adv. | basically | L23 |
| 激动 | jīdòng | a. | excited, riveting | L3 |
| 吉利 | jílì | a. | auspicious | L16 |
| 即将 | jíjiāng | adv. | soon | L4 |
| 即刻★ | jíkè | adv. | at once | L25 |
| 即使 | jíshǐ | conj. | even if, even though | L21/25 |
| 几次三番 | jǐcìsānfān | adv. | repeatedly | L9 |
| 几乎 | jīhū | adv. | almost | L4 |
| 计划经济 | jìhuàjīngjì | n. | planned economy | L1 |
| 计划生育 | jìhuà shēngyù | n. | literally, planned birth. Namely, birth control | L20 |
| 计划生育委员会 | jìhuà shēngyù wěiyuánhuì | n. | Committee for Birth Planning and Control | L22 |
| 计较 | jìjiào | v. | haggle over, fuss about, take seriously | L15 |
| 记 | jì | m.w. | for a slap, etc. | L18 |

| 记得 | jì·de | v. | remember | L25 |
|---|---|---|---|---|
| 记者 | jìzhě | n. | (news) reporter | L1 |
| 技术 | jìshù | n. | technique, skill | L10/16 |
| 既然 | jìrán | adv./conj. | since | L2/20 |
| 加强 | jiāqiáng | v. | reinforce, strengthen | L5 |
| 家用电器 | jiāyòngdiànqì | n. | home appliances/electronics | L2 |
| 价格 | jiàgé | n. | price | L16 |
| 假 | jiǎ | a. | (prefix for) fake | L16 |
| 假货 | jiǎhuò | n. | fake products | L16 |
| 嫁 | jià | v. | (female) marry to (male) | L4 |
| 减 | jiǎn | v. | minus | L12 |
| 减肥药 | jiǎnféiyào | n. | weight-loss drug | L16 |
| 减少 | jiǎnshǎo | v. | lose | L16 |
| 检查 | jiǎnchá | n./v. | examination; check, examine | L16 |
| 简称 | jiǎnchēng | n. | simple term | L22 |
| 简短 | jiǎnduǎn | a. | brief | L22 |
| 建立 | jiànlì | v. | establish | L16 |
| 建设 | jiànshè | n. | construction | L21 |
| 建议 | jiànyì | n. | suggestion, proposal | L5 |
| 健康 | jiànkāng | a. | in good health | L4 |
| 健美 | jiànměi | a. | vigorous and graceful | L4 |
| 渐渐 | jiànjiàn | adv. | gradually | L1 |
| 践踏 | jiàntà | v. | trample on | L20 |
| 将近 | jiāngjìn | adv. | close to, around | L7 |
| 将来 | jiānglái | adv. | in the future | L19 |
| 讲 | jiǎng | v. | value | L16 |
| 讲究 | jiǎng·jiu | a. | picky, fastidious | L1 |
| 讲理 | jiǎnglǐ | a. | rational, reasonable | L15 |
| 奖 | jiǎng | v. | to reward | L8 |
| 奖金 | jiǎngjīn | n. | bonus | L13 |
| 交 | jiāo | v. | pay (fee), hand in, give to | L1/18 |
| 交换 | jiāohuàn | v. | exchange | L2 |
| 交流 | jiāoliú | v. | exchange, communicate | L15 |
| 交朋友 | jiāopéngyǒu | v. | make friends | L2 |
| 交谈 | jiāotán | n. | (formal usage) talk | L15 |
| 交通 | jiāotōng | n. | transportation, traffic | L14/21 |
| 角度 | jiǎodù | n. | angle | L2 |
| 角色 | juésè | n. | role | L11 |
| 脚 | jiǎo | n. | foot | L10 |
| 脚踝 | jiǎohuái | n. | ankle | L25 |
| 教练 | jiàoliàn | n. | coach | L2 |
| 教训 | jiàoxùn | n. | lesson | L17 |
| 教育部 | jiàoyùbù | n. | Ministry of Education | L1 |
| 教育学家 | jiàoyùxuéjiā | n. | educator | L17 |
| 阶段 | jiēduàn | n. | stage, period | L2 |
| 接近 | jiējìn | a. | close | L6 |
| 接取★ | jiēqǔ | v. | take, get, receive | L25 |
| 接受 | jiēshòu | v. | accept | L16 |
| 接着 | jiē·zhe | v./adv. | be followed by; continuously, thereafter | L24/25 |
| 节能灯 | jiénéngdēng | n. | energy-saving bulb | L19 |
| 节日 | jiérì | n. | holiday, festival | L21 |
| 洁白 | jiébái | a. | clean and white | L8 |
| 结构 | jiégòu | n. | structure | L23 |
| 结果 | jiéguǒ | n. | result | L15 |
| 结论 | jiélùn | n. | conclusion | L23 |
| 竭力★ | jiélì | adv. | doing one's utmost | L25 |
| 解决 | jiějué | v. | solve | L6 |

词表（一）汉语拼音索引

| 军事 | jūnshì | n. | military affairs | L2 |
|---|---|---|---|---|

# K

| 卡拉OK | kǎlā OK | n. | karaoke | L3 |
|---|---|---|---|---|
| 开 | kāi | v. | run, open, prescribe | L7 |
| 开放 | kāifàng | a. | open, receptive | L23 |
| 开会 | kāihuì | v. | have a meeting | L24 |
| 开玩笑 | kāiwánxiào | v. | be kidding, be joking | L1 |
| 刊登 | kāndēng | v. | post, publish | L21 |
| 侃大山 | kǎndà shān | v. | chat heartily about meaningless things | L13 |
| 看不起 | kàn · buqǐ | v. | look down | L8 |
| 看法 | kànfǎ | n. | viewpoint | L1 |
| 考虑 | kǎolǜ | v. | consider | L1 |
| 靠 | kào | v. | count on, depend on | L11/16 |
| 科技 | kējì | n. | technology | L2 |
| 科举考试 | kējǔkǎoshì | n. | imperial civil service examination | L23 |
| 科学 | kēxué | n. | science | L2 |
| 科学家 | kēxuéjiā | n. | scientist | L2 |
| 棵 | kē | m.w. | for trees | L17 |
| 颗 | kē | m.w. | for something small and round | L4 |
| 可读性 | kědúxìng | n. | readability | L21 |
| 可恨 | kěhèn | a | hateful; it's a pity that | L25 |
| 可能性 | kěnéngxìng | n. | possibility | L14 |
| 可怕 | kěpà | a. | horrible, frightful | L19 |
| 可惜 | kěxī | a. | regrettable, too bad that… | L3 |
| 可信 | kěxìn | a. | credible, believable | L21 |
| 渴 | kě | a. | thirsty | |
| 客官 | kèguān | n. | a polite term for travelers | L25 |
| 客户 | kèhù | n. | client, customer | L1 |
| 客人 | kèrén | n. | customer, guest | L7 |
| 课余 | kèyú | n. | free time after class | L1 |
| 肯定 | kěndìng | v. | I am sure that… , I am positive that … | L15 |
| 空位 | kòng wēi | n. | empty seat | L15 |
| 孔子 | Kǒng Zǐ | p.n. | Confucius | L3 |
| 恐怖主义 | kǒngbùzhǔyì | n. | terrorism | L14 |
| 恐龙 | kǒnglóng | n. | dinosaur | L21 |
| 恐怕 | kǒngpà | adv. | (I am) afraid | L2 |
| 控制 | kòngzhì | v. | control | L20 |
| 口 | kǒu | n. | morsel | L7 |
| 口供 | kǒugòng | n. | statement or testimony made for police investigation | L15 |
| 口吻 | kǒuwěn | n. | tone | L18 |
| 口语 | kǒuyǔ | n./a. | colloquial expressions; colloquial | L6 |
| 枯 | kū | a. | dried up | L25 |
| 苦 | kǔ | a. | bitter | L10 |
| 夸张 | kuāzhāng | v. | exaggerate | L16 |
| 筷 | kuài | n. | chopstick | L24 |
| 况且 | kuàngqiě | conj. | in addition, moreover | L25 |
| 眶 | kuàng | n. | area around the eyes | L25 |
| 困 | kùn | a. | sleepy | L10 |
| 困顿★ | kùndùn | a. | tired, exhausted | L25 |

# L

| 拉 | lā | v. | canvass, pull | L20 |
|---|---|---|---|---|
| 拉屎 | lāshǐ | v. | move bowels | L18 |

词表（一汉语拼音索引）

| 拉选票 | lāxuǎnpiào | v. | canvass votes | L20 |
|---|---|---|---|---|
| 辣椒 | làjiāo | n. | hot pepper | L7 |
| 来路★ | láilù | n. | original road, coming road | L25 |
| 来自 | láizì | v. | come from | L21 |
| 懒洋洋 | lǎnyāngyāng | a. | listless, lethargic | L24 |
| 浪漫 | làngmàn | a. | romantic | L4 |
| 劳顿★ | láodùn | a. | tired, weary | L25 |
| 牢笼 | láolóng | n. | cage, trap, prison | L25 |
| 老 | lǎo | adv. | always, all the time | L10 |
| 老百姓 | lǎobǎixìng | n. | folks, common people | L14/18 |
| 老板 | lǎobǎn | n. | boss | L13 |
| 老板娘 | lǎobǎnniáng | n. | a female boss | L7 |
| 老话 | lǎohuà | n. | old saying | L10 |
| 老实说 | lǎoshíshuō | phr. | frankly speaking | L1 |
| 老式 | lǎoshì | a. | old-styled | L11 |
| 老鼠药 | lǎoshǔyào | n. | raticide | L16 |
| 老翁 | lǎowēng | n. | old man | L25 |
| 老丈 | lǎozhàng | n. | a respectful term for an old man | L25 |
| 乐观 | lèguān | a. | optimistic | L14 |
| 乐经 | Yuèjīng | n. | the Book of Music | L23 |
| 乐器 | yuèqì | n. | instrument | L23 |
| 类 | lèi | n. | kind, type | L4 |
| 冷静 | lěngjìng | a. | levelheaded, calm | L15 |
| 冷冷清清 | lěnglěngqīngqīng | a. | cold and cheerless | L16 |
| 离婚 | líhūn | n./v. | divorce; get divorced | L5 |
| 离开 | líkāi | v. | leave, to depart | L16 |
| 离异 | líyì | a. | divorced | L4 |
| 礼貌 | lǐmào | n. | courtesy, politeness, manners | L15 |
| 李齐 | Lǐ Qí | p.n. | name of a person | L5 |
| 理 | lǐ | v. | pay attention to | L7 |
| 理会 | lǐhuì | v. | pay attention | L8 |
| 理解 | lǐjiě | v./n. | understand, comprehend; comprehension | L14/28 |
| 理科 | lǐkē | n. | science course | L2 |
| 理想 | lǐxiǎng | n. | ideal | L2 |
| 理由 | lǐyóu | n. | reason | L6 |
| 力量 | lì·liang | n. | power | L14 |
| 力气 | lìqì | n. | strength | L25 |
| 历史悠久★ | lìshǐ yōujiǔ | a. | time-honored | L23 |
| 厉害 | lì·hai | adv. | extremely, excessively | L7 |
| 立 | lì | v. | formal usage for "站" | L8 |
| 利益 | lìyì | n./v. | interest, benefit | L20 |
| 利益 | lìyì | n. | investment; invest | L14 |
| 利用 | lìyòng | v. | take advantage of | L1 |
| 连 | lián | v. | link, connect | L3 |
| 连词 | liáncí | n. | conjunction | L22 |
| 连声 | liánshēng | adv. | repeatedly (say) | L7 |
| 联络 | liánluò | v. | to contact | L1 |
| 联赛 | liánsài | n. | tournament | L21 |
| 敛 | liǎn | v. | hold back | L25 |
| 脸颊 | liǎnjiá | n. | cheek | L18 |
| 脸谱 | liǎnpǔ | n. | painted facial mask, makeup | L11 |
| 良好 | liánghǎo | a. | harmonious | L14 |
| 良药 | liángyào | n. | good medicine | L10 |
| 踉跄 | liàngqiàng | a. | staggering | L25 |
| 两岸★ | liǎng'àn | n. | cross-straits, between Mainland China and Taiwan | L19 |
| 两极分化 | liǎngjífēnhuà | n. | polarization | L4 |
| 辆 | liàng | m.w. | for vehicles | L8/22 |

# M

| 靡靡之音 | mǐmǐzhīyīn | n. | decadent music | L3 |
|---|---|---|---|---|
| 米 | mǐ | n. | centimeter | L4 |
| 密切相关★ | mìqièxiāngguān | v. | be closely related | L21 |
| 棉背心 | mián bèixīn | n. | padded vest | L8 |
| 免费 | miǎnfèi | a. | free of charge | L1 |
| 勉强 | miǎnqiǎng | adv. | with great difficulty | L1 |
| 面 | miàn | n. | scope; noodle | L14/24 |
| 面貌 | miànmào | n. | facial appearance | L4 |
| 面貌一新 | miànmàoyīxīn | phr. | have an entirely new face | L14 |
| 面子 | miàn·zi | n. | face, reputation | L15 |
| 描写 | miáoxiě | v. | describe, limn (vividly) | L3 |
| 灭亡 | mièwáng | v. | become extinct, decimate | L3 |
| 民歌 | míngē | n. | folk songs | L3 |
| 民间习俗 | mínjiānxísú | n. | local customs, traditions, folklore | L23 |
| 民进党 | Mínjìndǎng | p.n. | Democratic Progressive Party | L19 |
| 民主 | mínzhǔ | a./n. | democratic; democracy | L14/20 |
| 民主化 | mínzhǔhuà | n. | democratization | L14 |
| 名目 | míngmù | n. | pretext, names of things | L25 |
| 名牌 | míngpái | n. | brand name | L1 |
| 名片 | míngpiàn | n. | business card, name card | L16 |
| 明显 | míngxiǎn | a. | obvious, apparent | L2 |
| 明星 | míngxīng | n. | star (of movies, etc.) | L21 |
| 命令 | mìnglìng | n./v. | command | L14 |
| 模仿 | mófǎng | v. | imitate | L3 |
| 模式 | móshì | n. | model, paradigm | L23 |
| 魔鬼 | móguǐ | n. | demon | L11 |
| 默默 | mòmò | adv. | silently | L4 |
| 默默地 | mòmò·de | a. | quietly | L25 |
| 默想 | mòxiǎng | v. | think quietly | L25 |
| 某 | mǒu | a. | some, certain | L4 |
| 母语 | mǔyǔ | n. | mother tongue, native language | L6 |
| 目光短浅 | mùguāngduǎnqiǎn | a. | short-sighted, myopic | L2 |
| 目前★ | mùqián | adv. | so far, for the time being | L24 |
| 幕 | mù | m.w. | for scene | L18 |

## N

| 男士 | nánshì | n. | gentleman | L4 |
|---|---|---|---|---|
| 难分高低 | nánfēngāodī | v. | be hard to tell which one is better | L12 |
| 难受 | nánshòu | a. | hard to endure, feel uncomfortable | L21 |
| 难忘 | nánwàng | a. | hard to forget | L18 |
| 闹事 | nàoshì | v. | create disturbance, riot | L2 |
| 溺爱 | nì'ài | v. | spoil (a child) | L17 |
| 年龄 | niánlíng | n. | age | L4 |
| 念 | niàn | v. | read, recite | L11 |
| 娘 | niáng | n. | (literary usage for) mother | L3 |
| 凝滞 | níngzhì | a. | stagnant | L8 |
| 牛肉 | niúròu | n. | beef | L21 |
| 农民 | nóngmín | n. | farmer, peasant | L16 |
| 农业 | nóngyè | n. | agriculture | L16 |
| 浓 | nóng | a. | thick, heavy, dense, strong | L15/21 |
| 女士 | nǚshì | n. | lady | L4 |
| 女婿 | nǚxù | n. | son-in-law | L7 |
| 暖 | nuǎn | a. | warm | L20 |

## O

| 噢 | ō | interj. | Oh! | L7 |
|---|---|---|---|---|

| 欧洲 | Ōuzhōu | p.n. | Europe | L12 |

# P

| 啪△ | pā | onom. | bang | L18 |
| 怕 | pà | a. | scared, frightened | L10 |
| 拍卖 | pāimài | v. | auction | L16 |
| 拍手 | pāishǒu | v. | clap hands | L25 |
| 徘徊 | páihuái | v. | walk back and forth | L25 |
| 派出所 | pàichūsuǒ | n. | police station | L15 |
| 盘子 | pán · zi | n. | plate | L1 |
| 抛 | pāo | v. | throw | L25 |
| 抛弃 | pāoqì | v. | cast away, to desert | L23 |
| 跑龙套 | pǎolóngtào | v. | play an unimportant role | L13 |
| 泡 | pāo | m.w. | for droppings | L18 |
| 泡蘑菇 | pàomó · gu | v. | expand a dry mushroom by soaking it in water; waste time chatting | L13 |
| 陪伴 | péibàn | v. | accompany | L4 |
| 培养 | péiyǎng | v. | nurture, train | L14 |
| 培育 | péiyù | v. | cultivate | L21 |
| 烹饪 | pēngrèn | n. | cuisine | L23 |
| 捧 | pěng | v. | hold in both hands | L25 |
| 碰到 | pèngdào | v. | run into, bump into | L16 |
| 碰钉子 | pèngdīng · zi | v. | bump into a nail; meet with rebuff | L13 |
| 碰巧 | pèngqiǎo | a. | coincidental | L7 |
| 批 | pī | m.w. | (for batches, products, lots) | L16 |
| 批评 | pīpíng | v. | criticize | L2/15 |
| 皮 | pí | n. | skin | L18 |
| 皮包公司△ | píbāogōngsī | n. | a company without fixed assets | L16 |
| 皮袍 | pípáo | n. | fur-lined gown | L8 |
| 皮肉之苦★ | píròuzhīkǔ | n. | physical pain | L17 |
| 琵琶 | pípá | n. | lute-like string instrument | L23 |
| 脾气 | pí · qi | n. | temper | L8 |
| 片面 | piànmiàn | a. | one-sided, biased | L5 |
| 偏旁 | piān páng | n. | radical (of characters) | L6 |
| 偏僻 | piānpì | a. | far away from city, remote | L7 |
| 偏偏 | piānpiān | adv. | (stubbornly) insistently | L25 |
| 篇幅 | piānfú | n. | length (of a newspaper) | L21 |
| 骗 | piàn | n./v. | cheating; cheat | L16 |
| 骗鬼△ | piànguǐ | phr. | Who are you trying to fool? You liar! | L18 |
| 票夹子 | piàojiā · zi | n. | (bus conductor's) ticket folder | L15 |
| 品头论足★ | pǐntóulùnzú | v. | make remarks about someone | L24 |
| 平安 | píng'ān | a. | safe | L25 |
| 平等 | píngděng | a. | equal | L21 |
| 平衡 | pínghéng | v.n. | keep in balance; balance | L10 |
| 评价 | píngjià | v. | evaluate, assess | L4 |
| 评论 | pínglùn | v. | judge | L24 |
| 屏幕 | píngmù | n. | (TV, computer) screen | L24 |
| 破败 | pòbài | a. | ruined | L25 |
| 破坏 | pòhuài | v. | to destroy, ruin | L5 |
| 破烂 | pòlàn | a. | ragged | L8 |
| 破碎 | pòsuì | a. | ragged | L25 |
| 普遍 | pǔbiàn | a. | universal, common | L23 |
| 普及 | pǔjí | a. | popular, pervasive | L6 |
| 普通 | pǔtōng | a. | ordinary | L19 |

# Q

| | | | | |
|---|---|---|---|---|
| 其★ | qí | *pron.* | literary usage for "its" and "it" (as an object) | L23 |
| 其次 | qícì | *adv.* | next, secondly | L10 |
| 其间 | qíjiān | *adv.* | during that period | L8 |
| 其中 | qízhōng | *a.* | of …, among… | L6 |
| 歧视 | qíshì | *v./n.* | discriminate; discrimination | L16 |
| 乞丐 | qǐgài | *n.* | beggar | L25 |
| 企业 | qǐyè | *n.* | enterprise, company | L16 |
| 启事 | qǐshì | *n.* | public notice/advertisement | L4 |
| 起码 | qǐmǎ | *a.* | minimum, least | L2 |
| 气愤 | qìfèn | *a.* | angry, irritating | L16 |
| 千篇一律 | qiānpiānyīlǜ | *a.* | stereotyped, invariable | L4 |
| 千万 | qiānwàn | *n.* | ten million of | L9 |
| 牵涉★ | qiānshè | *v.* | involve | L20 |
| 前所未有★ | qiānsuǒwèiyǒu | *a.* | unprecedented | L16 |
| 前途 | qiántú | *n.* | future, prospect | L19 |
| 潜力 | qiánlì | *n* | potential | L6 |
| 潜在 | qiánzài | *a.* | potential | L14 |
| 强大 | qiángdà | *a.* | powerful | L2 |
| 强调 | qiángdiào | *v.* | emphasize | L4 |
| 强烈 | qiángliè | *a.* | strong | L3 |
| 强迫 | qiǎngpò | *v.* | coerce | L20 |
| 墙 | qiáng | *n.* | wall | L10 |
| 蔷薇 | qiángwēi | *n.* | rose | L25 |
| 抢劫 | qiǎngjié | *v.* | rob | L22 |
| 巧 | qiǎo | *a.* | coincidental | L2 |
| 巧遇 | qiǎoyù | *v.* | unexpectedly encounter | L7 |
| 妾 | qiè | *n.* | concubine | L9 |
| 亲眷 | qīnjuàn | *n.* | relative | L9 |
| 亲眼 | qīnyǎn | *adv.* | (see) in person | L25 |
| 侵略 | qīnlüè | *n./v.* | invasion; invade | L6 |
| 钦佩 | qīnpèi | *v.* | appreciate deeply, admire | L20 |
| 秦代 | Qíndài | *n.* | the Qin dynasty (221-206 B.C.) | L16 |
| 青少年 | qīngshàonián | *n.* | teenagers | L5 |
| 轻轻 | qīngqīng | *a.* | soft, light | L9 |
| 轻松 | qīngsōng | *a.* | in an easy and effortless way | L16 |
| 倾听 | qīngtīng | *v.* | listen attentively to | L25 |
| 倾向 | qīngxiàng | *n.* | inclination, orientation | L23 |
| 清楚 | qīng·chu | *a.* | clear, clearly understood | L11/24 |
| 清纯 | qīngchún | *a.* | pure and graceful | L4 |
| 清代 | Qīngdài | *n.* | the Qing dynasty (1644 A.D. -1911 A.D.) | L23 |
| 清华 | Qīnghuá | *p.n.* | Tsing Hua University | L19 |
| 情歌 | qínggē | *n.* | love songs | L3 |
| 情况 | qíngkuàng | *n.* | situation | L5 |
| 情书 | qíngshū | *n.* | love letter | L1 |
| 请 | qǐng | *v.* | invite | L5 |
| 请客 | qǐngkè | *v.* | treat | L7 |
| 庆祝 | qìngzhù | *v.n.* | celebrate; celebration | L2 |
| 求同存异 | qiútóngcúnyì | *v.* | seek agreement but tolerate differences | L20 |
| 区别★ | qūbié | *n.* | difference, distinction | L20 |
| 曲谱 | qǔpǔ | *n.* | music notes | L3 |
| 驱逐 | qūzhú | *v.* | expel, drive out | L25 |
| 趋势 | qūshì | *n.* | tendency | L5 |
| 取得★ | qǔdé | *v.* | to obtain, acquire | L23 |
| 全家 | quánjiā | *n.* | the whole family | L4/19 |

| 权利 | quánlì | n. | right | L17 |
|---|---|---|---|---|
| 劝告 | quàngào | n. | exhortation | L5 |
| 劝架 | quànjià | v. | mediate a fight | L15 |
| 缺乏 | quēfá | v. | lack | L2 |
| 裙子 | qún·zi | n. | skirt | L15 |
| 群众 | qúnzhòng | n. | the masses, the public | L21 |

## R

| 然而★ | rán'ér | conj. | however | L25 |
|---|---|---|---|---|
| 染 | rǎn | v. | dye | L15 |
| 惹 | rě | v. | cause (trouble, etc.) | L8 |
| 热 | rè | n. | heat, fever | L2 |
| 热烈 | rèliè | a. | earnest | L24 |
| 人大 | réndà | n. | 人民代表大会 People's Congress | L5 |
| 人口 | rénkǒu | n. | population | L2 |
| 人类学 | rénlèixué | n. | anthropology | L2 |
| 人力车 | rénlìchē | n. | rickshaw | L8 |
| 人民 | rénmín | n. | people | L3 |
| 人权 | rénquán | n. | human rights | L20 |
| 人生 | rénshēng | n. | life | L4 |
| 人声鼎沸★ | rénshēngdǐngfèi | phr. | a hubbub of voices | L15 |
| 人物 | rénwù | n. | character(of a play) | L11 |
| 忍不住 | rěnbùzhù | v. | can't hold it, can't endure, can not help | L15 |
| 认出 | rènchū | v. | recognize | L7 |
| 日常生活 | rìchángshēnghuó | n. | daily life | L21 |
| 融合 | rónghé | n./v. | fuse; confluence | L23 |
| 肉 | ròu | n. | meat; flesh | L18 |
| 如今 | rújīn | adv. | at present | L4 |
| 儒家 | rújiā | n. | Confucianism, Confucians | L3 |
| 儒商 | rúshāng | n. | merchant scholar | L16 |
| 软件 | ruǎnjiàn | n. | software | L6 |
| 软绵绵 | ruǎnmiánmián | a. | soft | L3 |
| 若★ | ruò | conj. | literary usage for "如果" | L23 |

## S

| 三通 | sāntōng | n. | "three communications" (direct postal, commercial, and flight connections between Mainlard China and Taiwan) | L19 |
|---|---|---|---|---|
| 伞 | sǎn | n. | umbrella | L4 |
| 丧生 | sàngshēng | v. | lose life | L21 |
| 丧失 | sàngshī | v. | lose | L21 |
| 扫兴 | sǎoxìng | v. | have one's spirits dampened, feel disappointed | L24 |
| 色彩 | sècǎi | n. | color, hue | L21 |
| 刹时 | shàshí | adv. | instantly | L8 |
| 傻瓜 | shǎguā | n. | fool | L16 |
| 衫子 | shān·zi | n. | shirt | L9 |
| 扇 | shàn | m.w. | for doors or windows | L25 |
| 善解人意 | shànjiěrényì | n. | understanding and caring | L4 |
| 善良 | shànliáng | a. | good-hearted | L4 |
| 伤害 | shānghài | n./v. | harm, hurt; do harm to | L5 |
| 伤心 | shāngxīn | a. | sad, heartbroken | L1 |
| 商潮 | shāngcháo | n. | commercial tide | L16 |
| 商店 | shāngdiàn | n. | shop, store | L16 |
| 商品 | shāngpǐn | n. | merchandise, commodity | L4/16 |
| 商人 | shāngrén | n. | businessman | L16 |

词表（一）汉语拼音索引

| | | | | |
|---|---|---|---|---|
| 商业 | shāngyè | n. | commerce | L16 |
| 伤 | shāng | n. | wound, injury, cut | L15 |
| 上 | shàng | adv. | up to | L21 |
| 上场 | shàngchǎng | v. | appear on stage | L11 |
| 上扣 | shàngkòu | v. | button up | L8 |
| 上升 | shàngshēng | a./n. | rising; rise | L5 |
| 上网 | shàngwǎng | v. | visit internet, get online | L2 |
| 少见 | shǎojiàn | a. | rarely seen | L22 |
| 少数 | shǎoshù | n. | small number, minority | L15 |
| 少有 | shǎoyǒu | a. | rare | L25 |
| 舌苔 | shétāi | n. | tongue coating | L10 |
| 舌头 | shé·tou | n. | tongue | L10 |
| 舍不得 | shě·bu·de | v. | be reluctant (to give up or let go), hate to | L17 |
| 设备 | shèbèi | n. | equipment, facility | L2 |
| 设计 | shèjì | v./n. | design | L6/16 |
| 社会学 | shèhuìxué | n. | sociology | L2 |
| 社会学家 | shèhuìxuéjiā | n. | sociologist | L5 |
| 伸 | shēn | v. | stretch | L25 |
| 身材 | shēncái | n. | figure (one's body) | L4 |
| 身高 | shēngāo | n. | height | L4 |
| 身子△ | shēn·zi | n. | (CL) body | L24 |
| 深 | shēn | a. | deep | L3 |
| 深层 | shēncéng | a. | deep-leveled | L23 |
| 深入 | shēnrù | v. | deeply enter | L23 |
| 神圣 | shénshèng | a. | sacred | L20 |
| 神仙 | shénxiān | n. | a supernatural or immortal being (fairy, elf, etc.) | L11 |
| 沈建良 | Shěn Jiànliáng | p.n. | name of a person | L4 |
| 甚而至于 | shèn'érzhìyú | adv. | even | L8 |
| 升高 | shēnggāo | a./n. | rising; rise | L5 |
| 升学率 | shēngxuélǜ | n. | college admission rate | L21 |
| 生 | shēng | v. | formal usage for "长", grow | L9 |
| 生产 | shēngchǎn | n./v. | production; produce | L10/16 |
| 生存 | shēngcún | n./v. | survival; survive | L20 |
| 生活 | shēnghuó | n. | life | L5 |
| 生计 | shēngjì | n. | livelihood | L8 |
| 生物 | shēngwù | n. | biology | L2 |
| 生意 | shēngyì | n. | business | L16 |
| 生硬 | shēngyìng | a. | straightforward, stiff | L4 |
| 声调 | shēngdiào | n. | tone | L6 |
| 胜★ | shèng | n./v. | literary usage for "赢" | L24 |
| 省吃俭用 | shěngchījiǎnyòng | phr. | live frugally, be thrift | L1 |
| 省略 | shěnglüè | v. | omit | L22 |
| 省心 | shěngxīn | v. | save one from having to worry | L1 |
| 圣人 | shèngrén | n. | sage | L3 |
| 失传 | shīchuán | v. | be lost forever | L23 |
| 失去 | shīqù | v. | lose | L20 |
| 师范大学 | shīfàn dàxué | n | Normal University, Teachers' College | L4 |
| 诗词 | shīcí | n. | poetry and lyrics | L1 |
| 湿润 | shīrùn | a. | wet | L7 |
| 时代 | shídài | n. | times, era | L3 |
| 时髦 | shímáo | a. | fashionable | L15 |
| 时时 | shíshí | adv. | often, all the time | L8 |
| 实际 | shíjì | a. | practical, realistic | L4 |
| 实际上 | shíjì·shang | adv. | in reality, realistically | L23 |
| 实行 | shíxíng | v. | implement | L14 |
| 实在 | shí·zai | adv. | really | L1 |
| 世纪 | shìjì | n. | century | L14 |

词表（一汉语拼音索引）

| 算 | suàn | v. | to count as | L5 |
|---|---|---|---|---|
| 隋 | Suí | p.n. | the Sui dynasty (581-618 A.D.) | L23 |
| 随便 | suíbiàn | adv. | as one pleases | L11 |
| 随即★ | suíjí | adv. | right after | L25 |
| 随时 | suíshí | adv. | at any time | L25 |
| 随着 | suí·zhe | conj. | along with | L5 |
| 孙宏 | Sūn Hóng | p.n. | name of a person | L5 |
| 损害 | sǔnhài | v./n. | damage | L20 |
| 损失 | sǔnshī | n. | loss | L21 |
| 缩 | suō | v. | retreat, draw back | L18 |
| 缩略 | suōlüè | v./n. | abbreviate; abbreviation | L22 |
| 缩略语 | suōlüèyǔ | n. | abbreviated terms | L22 |
| 所谓 | suǒwèi | a. | so-called | L2 |
| 所在★ | suǒzài | n. | place | L25 |
| 唢呐 | suǒnà | n. | trumpet-like wind instrument | L23 |

# T

| 踏实 | tā·shi | a. | steadfast; (literally) plant one's feet on solid ground - do a job honestly and with dedication | L16 |
|---|---|---|---|---|
| 台 | tái | m.w. | for machines | L6 |
| 台北 | Táiběi | p.n. | Taipei | L19 |
| 台风 | táifēng | n. | typhoon | L21 |
| 台商 | táishāng | n. | abbreviation for "台湾商人" | L19 |
| 抬 | tái | v. | raise, lift | L1 |
| 抬头 | táitóu | v. | lift (one's) head | L15 |
| 太极图 | tàijítú | n. | Diagram of Tai Chi, the Great Ultimate | L10 |
| 太平洋 | tàipíngyáng | p.n. | Pacific Ocean | L13 |
| 贪污 | tānwū | n. | corruption, embezzlement | L14 |
| 谈笑风生★ | tánxiàofēngshēng | v. | talk cheerfully | L24 |
| 坦克 | tǎnkè | n. | tank | L24 |
| 坦率 | tǎnshuài | a. | direct and frank | L2 |
| 叹气 | tànqì | v. | to sigh | L7 |
| 堂堂 | tángtáng | a. | dignified (as a profession, position, or social status) | L1 |
| 糖尿病 | tángniàobìng | n. | diabetes | L10 |
| 倘 | tǎng | conj. | formal usage for "如果" | L8 |
| 倘使★ | tǎngshǐ | conj. | if, suppose | L25 |
| 趟 | tàng | m.w. | for a round or trip | L3 |
| 掏 | tāo | v. | take out (from one's pocket) | L16 |
| 桃树 | táoshù | n. | peach tree | L9 |
| 淘气 | táoqì | a. | mischievous | L17 |
| 讨 | tǎo | v. | beg | |
| 讨论会 | tǎolùnhuì | n. | discussion | L5 |
| 套 | tào | m.w. | set | L1 |
| 特点 | tèdiǎn | n. | characteristics | L3 |
| 特色 | tèsè | n. | specialty, special feature | L11 |
| 特殊 | tèshū | a. | special, particular | L22 |
| 提出 | tíchū | v. | point out, propose | L5 |
| 提高 | tígāo | n. | improvement, increase | L5 |
| 题目 | tímù | n. | topic (for talks, articles, etc) | L12 |
| 体罚★ | tǐfá | n. | corporal punishment | L17 |
| 体育馆 | tǐyùguǎn | n. | gymnasium | L2 |
| 体重 | tǐzhòng | n. | weight | L4 |
| 天啊 | tiān'a | phr. | My Goodness | L10 |
| 天价 | tiānjià | n. | unreasonably high price | L16 |
| 天下 | tiānxià | n. | the whole world | L1 |
| 添 | tiān | v. | add | L7 |

| 田 | tián | n. | farmland | L18 |
| 条件 | tiáojiàn | n. | condition, prerequisite | L1/4 |
| 条子 | tiáo·zi | n. | note | L6 |
| 贴 | tiē | v. | to paste | L6 |
| 听说 | tīngshuō | v. | heard | L3 |
| 听写 | tīngxiě | n. | dictation quiz | L10 |
| 停步 | tíng bù | v. | halt, stop one's step | L8 |
| 通过 | tōngguò | v. | pass | L2 |
| 同情 | tóngqíng | v. | sympathize | L5 |
| 同时 | tóngshí | adv. | at the same time, simultaneously | L23 |
| 同样★ | tóngyàng | a. | the same | L17 |
| 同意 | tóngyì | v. | agree | L5 |
| 铜元 | tóngyuán | n. | copper coins | L8 |
| 统计 | tǒngjì | n./v. | statistics; count | L1 |
| 统统 | tǒngtǒng | adv. | entirely | L15 |
| 统一 | tǒngyī | v. | unite, unify | L19 |
| 痛苦 | tòngkǔ | n. | pain | L8 |
| 偷 | tōu | v. | steal | L18 |
| 头 | tóu | a. | first | L5 |
| 头版头条 | tóubǎntóutiáo | n. | headline on the front page | L21 |
| 头发 | tóu·fa | n. | hair | L8 |
| 头破血出 | tóupòxuěchū | phr. | head broken and bleeding | L8 |
| 头衔 | tóuxián | n. | title | L16 |
| 投资 | tóuzī | v./n. | invest; investment | L14/19 |
| 突然 | tūrán | adv. | suddenly | L7 |
| 土 | tǔ | n. | soil | L18 |
| 土地 | tǔdì | n. | land | L18 |
| 土屋★ | tǔwū | n. | house made of earth | L25 |
| 推出 | tuīchū | v. | release (a product) | L6 |
| 推导 | tuīdǎo | v. | infer, deduce | L23 |
| 推翻 | tuīfān | v. | overthrow | L20 |
| 推荐 | tuījiàn | v. | recommend | L3 |
| 颓唐 | tuítáng | a. | dejected, in dismay | L25 |
| 托福 | tuōfú | phr. | thank you | L25 |
| 拖 | tuō | v. | drag | L8 |

# W

| 瓦砾 | wǎlì | n. | rubble | L25 |
| 外地 | wàidì | n. | other places | L15 |
| 外号 | wàihào | n. | nickname | L7 |
| 外籍 | wàijí | a. | of foreign nationality | L4 |
| 外籍人士 | wàijírénshì | n. | person of foreign nationality | L4 |
| 外交 | wàijiāo | n. | foreign affairs | L22 |
| 外科 | wàikē | n. | surgical department | L15 |
| 外貌 | wàimào | n. | appearance, looks | L4 |
| 外套 | wàitào | n. | overcoat | L8 |
| 外星人 | wàixīngrén | n. | alien | L21 |
| 外语 | wàiyǔ | n. | foreign language | L2 |
| 完 | wán | v. | end, be over | L9 |
| 完美 | wánměi | a. | perfect | L2 |
| 挽回 | wǎnhuí | v. | save back | L15 |
| 晚报 | wǎnbào | n. | evening newspaper | L21 |
| 碗 | wǎn | n. | bowl | L24 |
| 万金油 | wànjīnyóu | n. | a balm for treating all kinds of minor ailments yet curing none; jack-of-all-trades, master of none | L13 |

| | | | | |
|---|---|---|---|---|
| 万死千伤★ | wànsǐqiānshāng | *phr.* | Literally, ten thousand people die and one thousand people are hurt. Namely, there will be numerous casualities. | L24 |
| 王伟 | Wáng Wěi | *p.n.* | name of a person | L5 |
| 网吧 | wǎngba | *n.* | internet bar | L6 |
| 网虫 | wǎngchóng | *n.* | internet worm, a person who addicts to internet | L6 |
| 网络 | wǎngluò | *n.* | net | L6 |
| 网页 | wǎngyè | *n.* | webpage | L6 |
| 网址 | wǎngzhǐ | *n.* | website | L6 |
| 往往 | wǎngwǎng | *adv.* | tend to, usually | L17 |
| 妄下判断★ | wàngxiàpànduàn | *v.* | jump into conclusions | L24 |
| 忘记 | wàngjì | *v.* | forget | L8 |
| 望★ | wàng | *v.* | look into the distance | L25 |
| 威胁 | wēixié | *v./n.* | threaten; threat | L14/18 |
| 威压 | wēiyā | *n.* | powerful pressure | L8 |
| 微风 | wēifēng | *n.* | breeze | L8 |
| 微软 | wēiruǎn | *n.* | Microsoft | L6 |
| 微笑 | wēixiào | *v.* | smile | L25 |
| 唯一 | wéiyī | *a.* | only | L6 |
| 惟有 | wéiyǒu | *adv.* | formal usage for "只有" | L9 |
| 维护 | wéihù | *v.* | maintain | L5 |
| 尾巴 | wěi · ba | *n.* | tail | L16 |
| 委屈 | wěi · qu | *a.* | feeling wronged | L17 |
| 委员 | wěiyuán | *n.* | member (of a committee) | L5 |
| 委员会 | wěiyuánhuì | *n.* | committee | L5 |
| 未必★ | wèibì | *adv.* | not necessarily | L25 |
| 未婚 | wèihūn | *a.* | unmarried | L4 |
| 未免 | wèimiǎn | *adv.* | a bit too | L5 |
| 味道 | wèi · dao | *n.* | taste, smell | L7 |
| 胃 | wèi | *n.* | stomach | L10 |
| 温饱★ | wēnbǎo | *n.* | (literally, warm and full) clothing and food | L20 |
| 温柔 | wēnróu | *a.* | gentle and soft | L4 |
| 文革 | wéngé | *n.* | Cultural Revolution | L3 |
| 文静 | wénjìng | *a.* | gentle and quiet | L4 |
| 文科 | wénkē | *n.* | humanities and social sciences, humanity course | L2 |
| 文明 | wénmíng | *n.* | civilization | L23 |
| 文摘报 | Wénzhāibào | *n.* | news digest | L21 |
| 文章 | wénzhāng | *n.* | article | L1 |
| 文治 | wénzhì | *n.* | civil administration | L8 |
| 稳当 | wěn · dang | *a.* | proper, safe | L25 |
| 稳定 | wěndìng | *a.* | stable | L23 |
| 问卷 | wènjuàn | *n.* | questionnaire | L21 |
| 乌★ | wū | *a.* | dark | L25 |
| 乌鲁木齐 | wūlǔmùqí | *p.n.* | Urumqi | L14 |
| 屋顶 | wūdǐng | *n.* | roof | L18 |
| 无商不奸★ | wúshāngbùjiān | *phr.* | Literally, "no merchant is not tricky and sly." Namely, "all merchants are tricky and sly." | L16 |
| 无数 | wúshù | *a.* | countless, numerous | L9 |
| 无效退款★ | wúxiàotuìkuǎn | *phr.* | refundable if not effective | L16 |
| 无涯 | wú yá | *a.* | boundless | L9 |
| 武力 | wǔlì | *n.* | military force | L8 |
| 武术 | wǔshù | *n.* | martial arts | L4 |
| 捂 | wǔ | *v.* | cover | L18 |
| 舞台 | wǔtái | *n.* | stage | L11 |
| 兀鹰 | wùyīng | *n.* | griffon vulture | L25 |
| 误 | wù | *v.* | to delay | L8 |
| 误解 | wùjiě | *n.* | misunderstanding | L22 |

# X

| 西安 | xī'ān | p.n. | a city in the northwestern part of China | L14 |
| 西方 | xīfāng | n. | the West, the Occident | L5 |
| 西红柿 | xīhóngshì | n. | tomato | L21 |
| 西医 | xīyī | n. | Western medical science; doctor of Western medicine | L10 |
| 吸收 | xīshōu | v. | absorb | L23 |
| 吸烟者★ | xīyānzhě | n. | smoker | L20 |
| 吸引力 | xīyǐnlì | n. | attraction | L21 |
| 息 | xī | v. | rest | L25 |
| 牺牲 | xīshēng | v./n. | sacrifice | L18 |
| 稀薄 | xībó | a. | thin, washy | L25 |
| 习惯 | xíguàn | a. | habitual | L16 |
| 洗耳恭听 | xǐ'ěrgōngtīng | v. | listen respectfully | L12 |
| 戏 | xì | n. | play | L11 |
| 细心 | xìxīn | a. | careful, attentive | L16 |
| 下班 | xiàbān | v. | get off work | L16 |
| 下海 | xiàhǎi | v. | plunge into the (business) sea | L13 |
| 下降 | xiàjiàng | v./n. | decrease, fall; decrease | L5 |
| 下载 | xiàzǎi | v. | to download | L6 |
| 吓一跳 | xiàyītiào | v. | be surprised, be shocked | L7/19 |
| 先锋 | xiānfēng | n. | pioneer | L3 |
| 先进 | xiānjìn | a. | advanced | L2 |
| 鲜明 | xiānmíng | a. | sharp, clear | L2 |
| 鲜艳 | xiānyàn | a. | fresh and bright | L15 |
| 闲逛 | xiánguàng | v. | meander | L16 |
| 县 | xiàn | n. | county | L14 |
| 现代 | xiàndài | a. | modern | L3 |
| 现代化 | xiàndàihuà | v.n | modernize, modernization | L5 |
| 线 | xiàn | n. | line | L14 |
| 限制 | xiànzhì | n./v. | restriction; restrict, limit | L16 |
| 宪法 | xiànfǎ | n. | the Constitution | L20 |
| 乡下 | xiāngxià | n. | country | L7 |
| 乡镇 | xiāngzhèn | n. | villages and towns | L14 |
| 相称 | xiāngchèn | v./a. | match; matching, suitable | L4 |
| 相对 | xiāngduì | adv. | relatively, comparatively | L5 |
| 相反 | xiāngfǎn | a. | oppiste | L2 |
| 相反地 | xiāngfǎn·de | adv. | on the contrary, in contrast | L16 |
| 相扑 | xiāngpū | n. | sumo | L21 |
| 相声 | xiàngsheng | n. | crosstalk; a type of performance featuring witty verbal sparring | L11 |
| 相似★ | xiāngsì | a./v. | alike, similar; resemble | L23 |
| 相同 | xiāngtóng | a. | identical, the same | L22 |
| 香 | xiāng | a. | fragrant | L6 |
| 香港 | Xiānggǎng | n. | Hong Kong | L19 |
| 享有★ | xiǎngyǒu | v. | enjoy (rights) | L20 |
| 响 | xiǎng | a. | loud | L12 |
| 想不开 | xiǎngbùkāi | v. | don't think it through | L16 |
| 想法 | xiǎngfǎ | n. | thought | L5 |
| 想象 | xiǎngxiàng | v. | imagine | L2 |
| 项 | xiàng | m.w. | for item | L16 |
| 消防队员 | xiāofángduìyuán | n. | fire fighter | L21 |
| 消化 | xiāohuà | v. | digest | L18 |
| 消磨时光 | xiāomóshíguāng | v. | kill time | L21 |
| 消息 | xiāo·xi | n. | news, information | L21 |

| 小伙儿△ | xiǎohuǒr | n. | (informal) young man | L15 |
|---|---|---|---|---|
| 小姐 | xiǎojiě | n. | young lady | L15 |
| 小康之家 | xiǎokāngzhījiā | n. | family of comparatively good living standard | L9 |
| 小说 | xiǎoshuō | n. | novel | L5 |
| 小说连载 | xiǎoshuōliánzài | n. | serialized fiction | L21 |
| 小学 | xiǎoxué | n. | elementary school | L18 |
| 效率 | xiàolǜ | n. | efficiency | L14 |
| 校长 | xiàozhǎng | n. | president (of a college) | L1 |
| 校花 | xiàohuā | n. | school beauty queen | L7 |
| 校友 | xiàoyǒu | n. | alumnus | L7 |
| 笑话 | xiàohua | v. | ridicule, laugh at | L7 |
| 笑面虎 | xiàomiànhǔ | n. | smiling tiger; a wolf in sheep's clothing | L13 |
| 笑容 | xiàoróng | n. | expression of smile | L25 |
| 笑嘻嘻 | xiàoxīxī | v. | grinning | L13 |
| 胁下★ | xiéxià | n. | area under armpit | L25 |
| 谢文明 | Xiè Wénmíng | p.n. | name of person | L3 |
| 心 | xīn | n. | heart | L3 |
| 心底 | xīndǐ | n. | deep in one's heart | L25 |
| 心理学 | xīnlǐxué | n. | psychology | L2 |
| 心理学家 | xīnlǐxuéjiā | n. | psychologist | L17 |
| 心灵★ | xīnlíng | a./n. | mental; soul, mentality | L17 |
| 心跳 | xīntiào | n. | heartbeat | L10 |
| 辛苦 | xīnkǔ | a. | hardworking | L11 |
| 新开业 | xīnkāiyè | a. | grand opening | L7 |
| 新闻 | xīnwén | n. | news | L6 |
| 信心 | xìnxīn | n. | confidence | L20 |
| 信用 | xìnyòng | n. | trust, credit | L16 |
| 信用卡 | xìnyòngkǎ | n. | credit card | L6 |
| 兴建 | xīngjiàn | v. | construct | L14 |
| 兴趣 | xìngqù | n. | interest | L5 |
| 行 | xíng | a. | okay, fine | L12 |
| 行不通 | xíngbùtōng | v. | does not work | L5 |
| 行情 | hángqíng | n. | (market) trend | L12 |
| 形成 | xíngchéng | v. | form | L2 |
| 形容 | xíngróng | v. | describe | L23 |
| 形象 | xíngxiàng | n. | image | L15 |
| 幸亏 | xìngkuī | adv. | fortunately | L8 |
| 幸运 | xìngyùn | a. | lucky | L16 |
| 性 | xìng | n. | sex; property, nature (suffix corresponding to -ness or -ity) | L5/23 |
| 性格 | xìnggé | n. | personality | L4 |
| 凶杀 | xiōngshā | n. | murder | L21 |
| 修 | xiū | v. | fix, repair | L21 |
| 修改 | xiūgǎi | v. | amend, correct | L5 |
| 修剪 | xiūjiǎn | v. | prune, trim | L17 |
| 修饰 | xiūshì | v. | specify | L22 |
| 羞于见人 | xiūyújiànrén | a. | shameful, something one doesn't want exposed | L4 |
| 须 | xū | aux. | must, have to | L8 |
| 须发 | xūfà | n. | beard and hair | L25 |
| 虚火 | xūhuǒ | n. | empty fire (result from lack of calm inner tone) | L10 |
| 需求 | xūqiú | n. | needs | L1 |
| 许翔 | Xǔ Xiáng | p.n. | name of a person | L10 |
| 许仪 | Xǔ Yí | p.n. | name of a person | L5 |
| 宣传 | xuānchuán | n. | propaganda | L19 |
| 选 | xuǎn | n. | selections | L1 |
| 选举 | xuǎnjǔ | n./v. | election; elect | L14 |
| 选民 | xuǎnmín | n. | voter | L20 |

词表（一　漢語拼音索引）

| 选票 | xuǎnpiào | n. | vote | L20 |
|------|----------|-----|------|-----|
| 学费 | xuéfèi | n. | tuition | L1 |
| 学历 | xuélì | n. | academic degree | L4 |
| 学问 | xué·wen | n. | knowledge | L24 |
| 学者 | xuézhě | n. | scholar | L6/20 |
| 学着 | xué·zhe | v. | learn to | L24 |
| 寻找 | xúnzhǎo | v. | to look for, seek | L4 |
| 巡警 | xúnjǐng | n. | police officer | L8 |
| 训练 | xùnliàn | n./v. | training; train | L11 |

## Y

| 压 | yā | v. | weigh down | L18 |
|------|----------|-----|------|-----|
| 压制 | yāzhì | v./n. | suppress, inhibit; suppression | L20 |
| 鸦片 | yāpiàn | n. | opium | L23 |
| 亚洲 | Yàzhōu | n. | Asia | L2 |
| 烟酒不沾 | yānjiǔbùzhān | phr. | neither smoke nor drink | L4 |
| 延伸 | yánshēn | n. | extension | L23 |
| 延续 | yánxù | v. | continue, last | L23 |
| 严格 | yángé | a. | strict | L4 |
| 严肃 | yánsù | a. | serious | L11 |
| 严重 | yánzhòng | a. | serious | L5 |
| 沿海 | yánhǎi | a. | coastal | L14 |
| 眼光★ | yǎnguāng | n. | look | L25 |
| 眼见 | yǎnjiàn | v. | clearly see | L8 |
| 眼泪 | yǎnlèi | n. | tears | L25 |
| 眼珠 | yǎnzhū | n. | eyeball | L25 |
| 演 | yǎn | v. | act, play | L11 |
| 演变 | yǎnbiàn | n. | change and transformaiton | L23 |
| 演唱会 | yǎnchànghuì | n. | concert | L3 |
| 演员 | yǎnyuán | n. | actor | L11 |
| 演奏 | yǎnzòu | v. | perform (music instrument) | L3 |
| 厌倦 | yànjuàn | a. | be tired of | L4 |
| 羊城 | Yángchéng | p.n. | a nickname of Guangzhou | L21 |
| 阳 | yáng | n. | Yang (the brigh side) | L10 |
| 阳盛阴虚 | yángshèngyīnxū | phr. | yang is excessive while yin is deficient | L10 |
| 仰慕 | yǎngmù | v. | admire | L7 |
| 仰视 | yǎngshì | v. | look upward | L8 |
| 腰 | yāo | n. | waist | L25 |
| 腰包 | yāobāo | n. | wallet, fanny pack | L16 |
| 摇动 | yáodòng | v. | shake | L18 |
| 摇滚乐 | yáogǔnyuè | n. | rock and roll | L3 |
| 摇钱树 | yáoqiánshù | n. | "money tree"; money maker | L13 |
| 摇身一变★ | yáoshēnyībiàn | v. | change one's identity suddenly | L16 |
| 摇头 | yáotóu | v. | shake one's head | L25 |
| 药片 | yàopiàn | n. | tablet, pill | L10 |
| 要不然 | yàoburán | adv. | otherwise | L1 |
| 要求 | yāoqiú | v./n. | require; requirement, request | L4 |
| 要人★ | yàorén | n. | important person | L24 |
| 要是 | yàoshì | conj. | provided that ..., if ... | L10 |
| 野 | yě | a. | wild | L25 |
| 野地 | yědì | n. | wilderness | L25 |
| 业务 | yèwù | n. | business | L13 |
| 业余 | yèyú | n. | after work | L13 |
| 页 | yè | n. | page | L21 |
| 夜 | yè | n. | (formal usage for) night | L12 |
| 夜色 | yèsè | n. | the dim light of night | L25 |

| | | | | |
|---|---|---|---|---|
| 一般 | yībān | a. | ordinary | L4 |
| 一般来说 | yībānláishuō | phr. | generally speaking | L11 |
| 一本正经★ | yīběnzhèngjīng | a. | serious | L24 |
| 一边倒 | yībiāndǎo | n. | one-sided affair | L24 |
| 一步登天 | yībùdēngtiān | v. | have a meteoric rise | L12 |
| 一旦 | yīdàn | adv. | once | L15 |
| 一帆风顺 | yīfānfēngshùn | a. | smooth sailing; develop smoothly | L12 |
| 一呼百应 | yīhūbǎiyìng | v. | ones call gets a hundred responses | L12 |
| 一见钟情 | yījiànzhōngqíng | v. | fall in love at first sight | L12 |
| 一毛不拔 | yīmáobùbá | a. | stingy | L12 |
| 一贫如洗 | yīpínrúxǐ | a. | utterly penniless | L12 |
| 一窍不通 | yīqiàobùtōng | v. | be totally ignorant, be a layperson | L12 |
| 一切 | yīqiè | n. | all, everything | L25 |
| 一时 | yīshí | adv. | temporarily, momentarily | L16 |
| 一文不值 | yīwénbùzhí | a. | worth less than a penny | L12 |
| 一无所有 | yīwúsuǒyǒu | phr. | possess nothing | L3 |
| 一下子 | yīxiàzi | adv. | immediately, one fell swoop | L3 |
| 一心一意 | yīxīnyīyì | a. | wholehearted | L1 |
| 一行★ | yīxíng | n. | delegation, companies of a group | L22 |
| 一言为定 | yīyánwéidìng | phr. | Deal! Sealed with a word! | L12 |
| 一夜致富 | yīyèzhìfù | v. | become rich overnight | L12 |
| 一意孤行 | yīyìgūxíng | v. | blindly insist on doing | L12 |
| 一针见血 | yīzhēnjiànxiě | a. | something in one's own way cut straight to the heart of the matter | L12 |
| 一转眼 | yīzhuǎnyǎn | adv. | in the twinkling of an eye | L8 |
| 伊 | yī | pron. | she | L8 |
| 伊拉克 | Yīlākè | n. | Iraq | L24 |
| 医务室 | yīwùshì | n. | health center | L18 |
| 医学 | yīxué | n. | medical science | L14 |
| 移民 | yímín | v./n. | immigrate; immigration, immigrant | L20 |
| 颐和园 | Yíhéyuán | n. | the Summer Palace | L15 |
| 以……的速度 | yǐ...desùdù | phr. | at … speed, at the speed of … | L16 |
| 以上★ | yǐshàng | a. | the above-mentioned | L23 |
| 亿 | yì | m.w. | one hundred million | L16 |
| 艺术 | yìshù | n. | arts | L23 |
| 异样 | yìyàng | a. | strange | L8 |
| 意大利 | Yìdàlì | p.n. | Italy | L21 |
| 意见 | yìjiàn | n. | opinion | L2 |
| 意识形态 | yìshíxíngtài | n. | ideology | L23 |
| 意义 | yìyì | n. | meaning, significance | L1 |
| 意志 | yìzhì | n. | will | L20 |
| 因此 | yīncǐ | adv. | for this reason, therefore | L21 |
| 因素 | yīnsù | n. | factor | L20 |
| 阴 | yīn | n. | Yin (the dark side) | L10 |
| 阴沉 | yīnchén | a. | gloomy | L25 |
| 音乐 | yīnyuè | n. | music | L3 |
| 音像 | yīnxiàng | n. | audio and video | L3 |
| 银 | yín | a./n. | silvery; silver | L11 |
| 银行 | yínháng | n. | bank | L22 |
| 饮食 | yǐnshí | n. | food and beverage, diet | L23 |
| 印 | yìn | v. | to print | L1 |
| 印象 | yìnxiàng | n. | impression | L2 |
| 英勇顽强★ | yīngyǒngwánqiáng | n./a. | bravery and courage; brave | L21 |
| 盈利 | yínglì | n./v. | profit; make profits | L19 |
| 营养 | yíngyǎng | n. | nutrition | L21 |
| 赢 | yíng | v. | win | L21/24 |
| 影响 | yǐngxiǎng | v. | to influence, affect | L1 |

| 拥有 | yōngyǒu | v. | possess | L4 |
|---|---|---|---|---|
| 勇敢 | yǒnggǎn | a. | brave | L23 |
| 勇气 | yǒngqì | n. | courage | L8 |
| 踊跃 | yǒngyuè | a. | eager, enthusiastic | L5 |
| 优先 | yōuxiān | adv. | favorably, given priority to | L2 |
| 幽默 | yōumò | n./a. | humor; humorous | L4 |
| 由于 | yóuyú | conj. | because | L2 |
| 犹豫 | yóuyù | v. | hesitate | L15 |
| 邮购 | yóugòu | n. | mail order | L16 |
| 油彩 | yóu cǎi | n. | greasepaint | L11 |
| 游客 | yóukè | n. | tourist | L16 |
| 友好 | yǒuhǎo | a. | friendly, kind | L15 |
| 友谊 | yǒuyì | n. | friendship | L4 |
| 有代表性 | yǒudàibiǎoxìng | a. | representative | L3 |
| 有道理 | yǒudàolǐ | v. | make sense | L10 |
| 有关 | yǒuguān | a. | involved, related | L5 |
| 有涵养 | yǒuhányǎng | a. | civilized, cultured, able to exercise self-control | L15 |
| 有教养 | yǒujiāoyǎng | a. | well-educated, well-behaved, refined | L15 |
| 有经验 | yǒujīngyàn | a. | experienced | L10 |
| 有限 | yǒuxiàn | a. | limited | L1/22 |
| 有效 | yǒuxiào | a. | effective | L10 |
| 有意义 | yǒuyìyì | a. | meaningful | L8 |
| 有助于★ | yǒuzhùyú | v. | contribute to, promote | L23 |
| 幼小 | yòuxiǎo | a. | underage, little | L8 |
| 于...之中 | yú ... zhīzhōng | prep. | formal usage for "在……之中" | L9 |
| 于是 | yúshì | adv. | hence, as a result | L7 |
| 舆论 | yúlùn | n. | public opinion | L20 |
| 雨季 | yǔjì | n. | raining season | L4 |
| 语法 | yǔ fǎ | n. | grammar | L21 |
| 遇见 | yùjiàn | v. | to bump into | L7 |
| 愈 | yù | adv. | formal usage for "越" | L8 |
| 愈演愈烈★ | yùyǎnyùliè | v. | become worse and worse | L15 |
| 元首★ | yuánshǒu | n. | head of state | L21 |
| 原来 | yuánlái | adv. | originally | L6 |
| 原来 | yuánlái | adv. | originally; it turns out to be that... | L16 |
| 原因 | yuányīn | n. | cause, reason | L15 |
| 原则 | yuánzé | n. | principle | L16 |
| 缘份 | yuánfèn | n. | predestined affinity, destiny, fate | L7 |
| 缘故★ | yuángù | n. | reason | L25 |
| 愿意 | yuànyì | v. | be willing to | L4 |
| 约 | yuē | v. | invite (for meeting) | L7 |
| 月白 | yuèbái | a. | white as the moon | L9 |
| 月亮 | yuè · liang | n. | moon | L3 |
| 阅读 | yuèdú | v. | read | L23 |
| 粤 | yuè | n. | simple term for Guangdong | L22 |

## Z

| 杂 | zá | a. | mixed | L25 |
|---|---|---|---|---|
| 杂技 | zájì | n. | acrobatics | L11 |
| 杂志 | zázhì | n. | magazine | L4 |
| 砸 | zá | v. | knock forcefully, smash | L15 |
| 砸烂 | zálàn | v. | smash | L24 |
| 栽 | zāi | v. | tumble | L8 |
| 在我看来 | zàiwǒkànlái | phr. | in my view | L1 |
| 在于★ | zàiyú | v. | lie in, rest with, depend on | L15 |
| 咱们 | zán · men | n. | we (including the speaker) | L1 |

| 暂时 | zànshí | a./adv. | temporary, for the time being; for the time being | L6/16 |
| 赞美 | zànměi | v. | praise | L5 |
| 糟践 | zāojiàn | v. | ruin | L1 |
| 早熟 | zǎoshú | a. | precocious, premature | L24 |
| 造成 | zàochéng | v. | cause | L5 |
| 造反者 | zàofǎnzhě | n. | rebel | L11 |
| 则 | zé | m.w. | for notices, news, etc | L4 |
| 责任 | zérèn | n. | responsibility | L5 |
| 曾经 | céngjīng | adv. | ever, once | L3 |
| 增产 | zēngchǎn | n./v. | increase in production; increase production | L24 |
| 增长 | zēngzhǎng | v. | grow, increase | L8 |
| 憎恶 | zēngwù | v. | detest | L8 |
| 炸窝 | zhàwō | v. | explode, flare up, burst into chaos | L15 |
| 榨 | zhà | v. | press | L8 |
| 沾 | zhān | v. | be infected | L4 |
| 展开 | zhǎnkāi | v. | unfold | L8 |
| 占 | zhàn | v. | occupy, account | L19 |
| 战斗机 | zhàndòujī | n. | fighter (airplane) | L24 |
| 战端一启★ | zhànduānyīqǐ | phr. | once the war starts | L24 |
| 战况 | zhànkuàng | n. | war situation | L24 |
| 站 | zhàn | n. | (bus) stop | L15 |
| 站好 | zhànhǎo | v. | stand still | L18 |
| 张 | zhāng | m.w. | for CDs | L3 |
| 张爱玲 | Zhāng Àilíng | p.n. | name of a person | L9 |
| 张青 | Zhāng Qīng | p.n. | name of a person | L5 |
| 涨 | zhǎng | v. | (of prices) to increase, rise | L1 |
| 丈夫 | zhàng·fu | n. | husband | L5 |
| 招呼 | zhāo·hu | v. | greet | L7 |
| 招收 | zhāoshōu | v. | enroll | L2 |
| 照 | zhào | v. | follow | L2 |
| 哲学 | zhéxué | n. | philosophy | L23 |
| 针灸 | zhēnjiǔ | v./n. | acupuncture | L10 |
| 真诚 | zhēnchéng | a. | honest, sincere | L4 |
| 真理 | zhēnlǐ | n. | truth | L16 |
| 真实 | zhēnshí | a. | genuine | L14 |
| 真行 | zhēnxíng | a. | (CL) quite good, capable | L12 |
| 诊所 | zhěnsuǒ | n. | clinic | L10 |
| 镇 | zhèn | n. | town | L14 |
| 征婚 | zhēnghūn | v. | solicit marriage prospects (i.e. through advertisements) | L4 |
| 征收 | zhēngshōu | v. | to impose | L5 |
| 征友 | zhēngyǒu | n. | friend searching | L4 |
| 睁 | zhēng | v. | open (eyes) | L1 |
| 正常 | zhèngcháng | a. | normal | L5/15 |
| 正好 | zhènghǎo | adv. | Exactly | L2 |
| 正确 | zhèngquè | a. | correct | L20 |
| 证据 | zhèngjù | n. | proof, evidence | L20 |
| 郑伯龙 | Zhèng Bólóng | p.n. | name of a person | L19 |
| 政策 | zhèngcè | n. | policy | L1 |
| 政治 | zhèngzhì | n. | politics | L3 |
| 政治犯 | zhèngzhìfàn | n. | political prisoner | L20 |
| 政治家 | zhèngzhìjiā | n. | statesman, politician | L3/19 |
| 之类★ | zhīlèi | n. | - type, category | L21 |
| 支 | zhī | v. | lean on | L25 |
| 支持 | zhīchí | v./n. | support | L13 |
| 知识 | zhī·shi | n. | knowledge | L1 |
| 知识产权 | zhī·shichǎnquán | n. | intellectual property rights, | L1 |

| 知识分子 | zhī·shi fēnzǐ | n. | the intellectuals | L16 |
|---|---|---|---|---|
| 执政★ | zhízhèng | v. | take power in office | L19 |
| 直 | zhí | a. | straight | L24 |
| 直接 | zhíjiē | a. | direct | L14 |
| 直译 | zhíyì | n. | literal translation | L11 |
| 值得 | zhídé | v. | be worth | L2 |
| 值得深思★ | zhídéshēnsī | v./a | be worth careful thinking; worth careful thinking | L23 |
| 值得一提 | zhídéyītí | v. | be worth mentioning | L4 |
| 职务 | zhíwù | n. | position | L11 |
| 职业 | zhíyè | n. | occupation | L16 |
| 止痛片 | zhǐtòngpiàn | n. | pain killer | L10 |
| 只 | zhī | m.w. | for one eye | L1 |
| 纸上谈兵 | zhǐshàngtánbīng | phr. | be an armchair strategist; theorize without real action | L1 |
| 至今 | zhìjīn | adv. | up to now | L8 |
| 至少 | zhìshǎo | adv. | at least | L12/23 |
| 至于 | zhìyú | conj. | as for | L16 |
| 志向 | zhìxiàng | n. | will, ambition | L11 |
| 制度 | zhìdù | n. | system | L14/20 |
| 制造 | zhìzào | v. | produce, to make | L20 |
| 制造舆论 | zhìzàoyúlùn | v. | whip up public opinion | L20 |
| 治 | zhì | v. | cure | L10 |
| 质量 | zhìliàng | n. | quality | L2 |
| 秩序 | zhìxù | n. | order | L1 |
| 智商 | zhìshāng | n. | IQ | L16 |
| 中国城 | Zhōngguóchéng | n. | Chinatown | L3 |
| 中年 | zhōngnián | a. | middle-aged | L15 |

# English Index

## A

| | | | | |
|---|---|---|---|---|
| a balm for treating all kinds of minor ailments yet curing none; jack-of-all-trades, master of none | 万金油 | wànjīnyóu | *n.* | L13 |
| a bit too | 未免 | wèimiǎn | *adv.* | L5 |
| a city in Southeast China | 苏州 | Sūzhōu | *p.n.* | L4 |
| a city in the northwest part of China | 西安 | Xī'ān | *p.n.* | L14 |
| a city in the southern part of China | 广州 | Guǎngzhōu | *p.n.* | L14 |
| a company without fixed assets | 皮包公司 △ | píbāogōngsī | *n.* | L16 |
| a female boss | 老板娘 | lǎobǎnniáng | *n.* | L7 |
| a hubbub of voices | 人声鼎沸 ★ | rénshēngdǐngfèi | *phr.* | L15 |
| a last name | 刘 | Liú | *n.* | L10 |
| a nickname of Guangzhou | 羊城 | Yángchéng | *p.n.* | L21 |
| a polite term for travelers | 客官 | kèguān | *n.* | L25 |
| a province in southeastern China | 安徽 | ānhuī | *p.n.* | L11 |
| a province in southern China | 湖北 | Húběi | *p.n.* | L11 |
| a respectful term for an old man | 老丈 | lǎozhàng | *n.* | L25 |
| a stupid person, a lunatic | 二百五 △ | èrbǎiwǔ | *n.* | L15 |
| a supernatural or immortal being (fairy, elf, etc.) | 神仙 | shénxiān | *n.* | L11 |
| a thank-you letter | 感谢信 | gǎnxièxìn | *n.* | L16 |
| abbreviate; abbreviation | 缩略 | suōlüè | *v./n.* | L22 |
| abbreviated terms | 缩略语 | suōlüèyǔ | *n.* | L22 |
| abbreviation for "台湾商人" | 台商 | táishāng | *n.* | L19 |
| abductor | 拐子 | guǎi·zi | *n.* | L9 |
| abort; abortion | 堕胎 | duòtāi | *v./n.* | L20 |
| about to | 大约 | dàyuē | *adv.* | L8 |
| about, regarding | 关于 | guānyú | *prep.* | L3 |
| absolute | 绝对 | juéduì | *a.* | L20 |
| absorb | 吸收 | xīshōu | *v.* | L23 |
| abstract | 抽象 | chōuxiàng | *a.* | L2 |
| abundance; abundant | 丰富 | fēngfù | *n./a.* | L5 |
| abundant harvest | 丰收 | fēngshōu | *n.* | L24 |
| academic degree | 学历 | xuélì | *n.* | L4 |
| accept | 接受 | jiēshòu | *v.* | L16 |
| accept | 录取 | lùqǔ | *v.* | L2 |
| accident | 事故 ★ | shìgù | *n.* | L21 |
| accompany | 陪伴 | péibàn | *v.* | L4 |
| accomplishment | 成就 | chéngjiù | *n.* | L17 |
| according to | 根据 | gēnjù | *prep.* | L1 |
| accounting | 会计 | kuàijì | *n.* | L13 |
| acrobatics | 杂技 | zájì | *n.* | L11 |
| act as a middleman | 倒 | dǎo | *v.* | L16 |
| act, play | 演 | yǎn | *v.* | L11 |
| action | 动作 | dòngzuò | *n.* | L11 |
| active | 活跃 | huóyuè | *a.* | L21 |
| actor | 演员 | yǎnyuán | *n.* | L11 |
| acupuncture | 针灸 | zhēnjiǔ | *v./n.* | L10 |
| add | 添 | tiān | *v.* | L7 |
| add, replenish | 补充 | bǔchōng | *v.* | L25 |

词表（英文字母索引）

203

| at once | 即刻★ | jíkè | *adv.* | L25 |
|---|---|---|---|---|
| at present | 如今 | rújīn | *adv.* | L4 |
| at that time | 当时 | dāngshí | *adv.* | L3 |
| at the same time, simultaneously | 同时 | tóngshí | *adv.* | L23 |
| attract, entrance, enchanted | 迷 | mí | *v.* | L3 |
| attraction | 吸引力 | xīyǐnlì | *n.* | L21 |
| auction | 拍卖 | pāimài | *v.* | L16 |
| audio and video | 音像 | yīnxiàng | *n.* | L3 |
| auspicious | 吉利 | jílì | *a.* | L16 |
| Australia | 澳洲 | Àozhōu | *p.n.* | L19 |
| avenue, boulevard | 大道 | dàdào | *n.* | L8 |

## B

| back | 回 | huí | *n.* | L15 |
|---|---|---|---|---|
| back off, step back | 后退 | hòutuì | *v.* | L25 |
| background | 背景 | bèijǐng | *n.* | L21 |
| bad | 差 | chà | *a.* | L10 |
| bad water; evil ideas | 坏水△ | huàishuǐ | *n.* | L15 |
| bad, negative | 不良 | bùliáng | *a.* | L5 |
| bandit, gangster | 匪徒 | fěitú | *n.* | L22 |
| bang | 啪△ | pā | *onom.* | L18 |
| bank | 银行 | yínháng | *n.* | L22 |
| bar | 酒吧 | jiǔbā | *n.* | L1 |
| based on, following | 按照 | ànzhào | *prep.* | L5 |
| basic, fundamental | 基本 | jīběn | *a.* | L20 |
| basically | 基本上 | jīběn·shang | *adv.* | L23 |
| be an armchair strategist; theorize without real action | 纸上谈兵 | zhǐshàngtánbīng | *phr.* | L1 |
| be closely related | 密切相关★ | mìqièxiāngguān | *v.* | L21 |
| be difficult to predict, may not be | 料不定★ | liàobùdìng | *v.* | L25 |
| be followed by; continuously, thereafter | 接着 | jiē·zhe | *v./adv.* | L24/25 |
| be hard to tell which one is better | 难分高低 | nánfēngāodī | *v.* | L12 |
| be infected | 沾 | zhān | *v.* | L4 |
| be kidding, be joking | 开玩笑 | kāiwánxiào | *v.* | L1 |
| be lost forever | 失传 | shīchuán | *v.* | L23 |
| be only next to | 仅次于 | jǐncìyú | *v.* | L6 |
| be reluctant (to give up or let go), hate to | 舍不得 | shě·bu·de | *v.* | L17 |
| be situated at | 处于 | chǔyú | *v.* | L2 |
| be sure | 料定 | liàodìng | *v.* | L8 |
| be surprised, be shocked | 吓一跳 | xiàyītiào | *v.* | L7/19 |
| be tired of | 厌倦 | yànjuàn | *a.* | L4 |
| be totally ignorant, be a layperson | 一窍不通 | yīqiàobùtōng | *v.* | L12 |
| be used to, get adjusted | 适应 | shìyìng | *v.* | L19 |
| be vexed, irritated, anoyed | 烦 | fán | *v.* | L15 |
| be willing to | 愿意 | yuànyì | *v.* | L4 |
| be worth | 值得 | zhídé | *v.* | L2 |
| be worth careful thinking; worth careful thinking | 值得深思★ | zhídéshēnsī | *v./a* | L23 |
| be worth mentioning | 值得一提 | zhídéyītí | *v.* | L4 |
| beard and hair | 须发 | xūfà | *n.* | L25 |
| beat the drum of retreat | 打退堂鼓 | dǎtuìtánggǔ | *v.* | L13 |
| because | 由于 | yóuyú | *conj.* | L2 |
| become | 成为 | chéngwéi | *v.* | L11 |
| become extinct, decimate | 灭亡 | mièwáng | *v.* | L3 |
| become rich overnight | 一夜致富 | yīyèzhìfù | *v.* | L12 |

## C

词表（英文字母索引）

词表（英文字母索引）

词表（英文字母索引）

## D

词表（英文字母索引）

| democratic; democracy | 民主 | mínzhǔ | a./n. | L14/20 |
| democratization | 民主化 | mínzhǔhuà | n. | L14 |
| demon | 魔鬼 | móguǐ | n. | L11 |
| demonstration, reflection, performance | 表现 | biǎoxiàn | n. | L5 |
| deny | 否认 | fǒurèn | v. | L20 |
| describe | 形容 | xíngróng | v. | L23 |
| describe, limn (vividly) | 描写 | miáoxiě | v. | L3 |
| design | 设计 | shèjì | v./n. | L6/16 |
| desolate | 荒凉 | huāngliáng | a. | L25 |
| detest | 憎恶 | zēngwù | v. | L8 |
| developed | 发达 | fādá | a. | L2 |
| diabetes | 糖尿病 | tángniàobìng | n. | L10 |
| Diagram of Tai Chi, the Great Ultimate | 太极图 | tàijítú | n. | L10 |
| dialect | 方言 | fāngyán | n. | L11 |
| (dialect) grandpa | 阿公△ | āgōng | n. | L18 |
| diced chicken in spicy sauce | 宫保鸡丁 | Gōngbǎo jīdīng | n. | L23 |
| dictation quiz | 听写 | tīngxiě | n. | L10 |
| difference, distinction | 区别★ | qūbié | n. | L20 |
| digest | 消化 | xiāohuà | v. | L18 |
| dignified (as a profession, position, or social status) | 堂堂 | tángtáng | a. | L1 |
| dilapidated graveyard | 丛葬 | cóngzàng | n. | L25 |
| dinosaur | 恐龙 | kǒnglóng | n. | L21 |
| direct | 直接 | zhíjiē | a. | L14 |
| direct and frank | 坦率 | tǎnshuài | a. | L2 |
| discover | 发现 | fāxiàn | v. | L2 |
| discriminate; discrimination | 歧视 | qíshì | v./n. | L16 |
| discussion | 讨论会 | tǎolùnhuì | n. | L5 |
| disgraceful | 不光彩 | bùguāngcǎi | a. | L16 |
| dispute, conflict | 纠纷 | jiūfēn | n. | L5 |
| dissolve, pull out | 撤销 | chèxiāo | v. | L16 |
| disturbance | 风波 | fēngbō | n. | L9 |
| divorce; get divorced | 离婚 | líhūn | n./v. | L5 |
| divorced | 离异 | líyì | a. | L4 |
| do harm to | 害 | hài | n. | L17 |
| do part-time or temporary job | 打工 | dǎgōng | v. | L1 |
| do shopping | 购物 | gòuwù | v. | L2 |
| doctor | 大夫 | dài·fu | n. | L10 |
| does not work | 行不通 | xíngbùtōng | v. | L5 |
| doing one's utmost | 竭力★ | jiélì | adv. | L25 |
| domestic, internal | 国内 | guónèi | a. | L21 |
| don't know each other | 素不相识★ | sùbùxiāngshí | v. | L16 |
| don't think it through | 想不开 | xiǎngbùkāi | v. | L16 |
| down there | 底下 | dǐ·xia | n. | L18 |
| drag | 拖 | tuō | v. | L8 |
| draw | 画 | huà | v. | L18 |
| dream | 梦想 | mèngxiǎng | n. | L2 |
| dried up | 枯 | kū | a. | L25 |
| during that period | 其间 | qíjiān | adv. | L8 |
| dusk | 黄昏 | huánghūn | n. | L25 |
| dust | 灰尘 | huīchén | n. | L8 |
| dye | 染 | rǎn | v. | L15 |
| dynamic, active | 动态 | dòngtài | a. | |

# E

| each other | 彼此★ | bǐcǐ | adv. | L20 |
|---|---|---|---|---|
| eager, enthusiastic | 踊跃 | yǒngyuè | a. | L5 |
| earnest | 热烈 | rèliè | a. | L24 |
| easygoing, affable | 和气 | hé·qi | a. | L24 |
| economist | 经济学家 | jīngjìxuéjiā | n. | L5 |
| educator | 教育学家 | jiàoyùxuéjiā | n. | L17 |
| effective | 有效 | yǒuxiào | a. | L10 |
| efficiency | 效率 | xiàolǜ | n. | L14 |
| election; elect | 选举 | xuǎnjǔ | n./v. | L14 |
| elementary school | 小学 | xiǎoxué | n. | L18 |
| E-mail | 电子邮件 | diànzǐyóujiàn | n. | L6 |
| E-mail address | 电子信箱 | diànzǐxìnxiāng | n. | L6 |
| emperor | 皇帝 | huángdì | n. | L16 |
| Emperor Wu of the Han dynasty (206 B.C-220 A.D.) | 汉武帝 | Hànwǔdì | p.n. | L23 |
| emphasize | 强调 | qiángdiào | v. | L4 |
| employment | 就业 | jiùyè | n. | L20 |
| empty fire (result from lack of calm inner tone) | 虚火 | xūhuǒ | n. | L10 |
| empty seat | 空位 | kōng wèi | n. | L15 |
| encourage; encouragement | 鼓励 | gǔlì | v./n. | L16 |
| end, be over | 完 | wán | v. | L9 |
| enemy | 敌人 | dírén | n. | L14 |
| energetically, vigorously | 大力 | dàlì | adv. | L16 |
| energy-saving bulb | 节能灯 | jiénéngdēng | n. | L19 |
| engage in commerce | 经商★ | jīngshāng | v. | L16 |
| enjoy (rights) | 享有★ | xiǎngyǒu | v. | L20 |
| enjoyable | 津津有味★ | jīnjīnyǒuwèi | a. | L24 |
| enroll | 招收 | zhāoshōu | v. | L2 |
| enterprise, company | 企业 | qǐyè | n. | L16 |
| entirely | 统统 | tǒngtǒng | adv. | L15 |
| environment | 环境 | huánjìng | n. | L20 |
| equal | 平等 | píngděng | a. | L21 |
| equal to | 等于 | děngyú | v. | L12 |
| equal to the height of one's body | 等身★ | děngshēn | a. | L25 |
| equipment, facility | 设备 | shèbèi | n. | L2 |
| essay, paper, report | 报告 | bàogào | n. | L10 |
| establish | 建立 | jiànlì | v. | L16 |
| ethics | 伦理学 | lúnlǐxué | n. | L5 |
| Europe | 欧洲 | Ōuzhōu | p.n. | L12 |
| evaluate, assess | 评价 | píngjià | v. | L4 |
| even | 甚而至于 | shèn'érzhìyú | adv. | L8 |
| even if, even though | 即使 | jíshǐ | conj. | L21/25 |
| evening newspaper | 晚报 | wǎnbào | n. | L21 |
| ever, once | 曾经 | céngjīng | adv. | L3 |
| everywhere | 遍地 | biàndì | adv. | L7 |
| Exactly | 正好 | zhènghǎo | adv. | L2 |
| exaggerate | 夸张 | kuāzhāng | v. | L16 |
| examination; check, examine | 检查 | jiǎnchá | n./v. | L16 |
| exchange | 交换 | jiāohuàn | v. | L2 |
| exchange, communicate | 交流 | jiāoliú | v. | L15 |
| excited, riveting | 激动 | jīdòng | a. | L3 |
| excuse me for speaking frankly | 恕我直言★ | shùwǒzhíyán | phr. | L20 |

词表（英文字母索引）

| fortunately | 幸亏 | xìngkuī | adv. | L8 |
|---|---|---|---|---|
| four-character expressions, classical idiomatic phrases | 成语 | chéngyǔ | n. | L12 |
| fragrant | 香 | xiāng | a. | L6 |
| frankly speaking | 老实说 | lǎoshíshuō | phr. | L1 |
| free of charge | 免费 | miǎnfèi | a. | L1 |
| free time after class | 课余 | kèyú | n. | L1 |
| frequently, time and again | 不时 | bùshí | adv. | L24 |
| fresh and bright | 鲜艳 | xiānyàn | a. | L15 |
| friend searching | 征友 | zhēngyǒu | n. | L4 |
| friendly, kind | 友好 | yǒuhǎo | a. | L15 |
| friendship | 友谊 | yǒuyì | n. | L4 |
| frightened, panicky | 惊惧 | jīngjù | a. | L25 |
| fruit, achievement | 成果 | chéngguǒ | n. | L23 |
| full | 饱 | bǎo | a. | L18 |
| fundamental, basic | 根本 | gēnběn | a. | L15 |
| fur-lined gown | 皮袍 | pípáo | n. | L8 |
| Further | 进一步 | jìnyībù | adv. | L5/19 |
| fuse; confluence | 融合 | rónghé | n./v. | L23 |
| future, prospect | 前途 | qiántú | n. | L19 |

## G

| gamble; gambling | 赌博 | dǔbó | v./n. | L5 |
|---|---|---|---|---|
| gate | 门口 | ménkǒu | n. | L6 |
| generally speaking | 一般来说 | yībānláishuō | phr. | L11 |
| gentle and quiet | 文静 | wénjìng | a. | L4 |
| gentle and soft | 温柔 | wēnróu | a. | L4 |
| gentleman | 男士 | nánshì | n. | L4 |
| genuine | 真实 | zhēnshí | a. | L14 |
| Germany | 德国 | Déguó | n. | L14 |
| get hit, be spanked | 挨打 | āidǎ | v. | L17 |
| get hurt | 受伤 | shòushāng | v. | L8 |
| get lost | 迷路 | mílù | v. | L15 |
| get off work | 下班 | xiàbān | v. | L16 |
| give an example | 举例子 | jǔlì·zi | v. | L3 |
| Global | 环球 | huánqiú | a. | L16 |
| Gloomy | 阴沉 | yīnchén | a. | L25 |
| go abroad to visit other countries | 出访★ | chūfǎng | v. | L21 |
| Gold | 金 | jīn | a./n. | L11 |
| good intention, kindness | 好意 | hǎoyì | n. | L25 |
| good medicine | 良药 | liángyào | n. | L10 |
| good-hearted | 善良 | shànliáng | a. | L4 |
| (goods) in great demand | 紧缺 | jǐnquē | a. | L16 |
| Gradually | 渐渐 | jiànjiàn | adv. | L1 |
| graduate | 毕业 | bìyè | v. | L2 |
| grammar | 语法 | yǔfǎ | n. | L21 |
| grand opening | 新开业 | xīnkāiyè | a. | L7 |
| gray and white | 花白 | huābái | a. | L8 |
| greasepaint | 油彩 | yóucǎi | n. | L11 |
| greet | 打招呼 | dǎzhāo·hu | v. | L9 |
| greet | 招呼 | zhāo·hu | v. | L7 |
| griffon vulture | 兀鹰 | wùyīng | n. | L25 |
| grinning | 笑嘻嘻 | xiàoxīxī | v. | L13 |
| grow into useful timber, be a successful person | 成材★ | chéngcái | v. | L17 |

| | | | | |
|---|---|---|---|---|
| grow, increase | 增长 | zēngzhǎng | v. | L8 |
| guess, estimate | 估计△ | gūjì | v. | L15 |
| gulf | 海湾 | hǎiwān | n. | L24 |
| gymnasium | 体育馆 | tǐyùguǎn | n. | L2 |

## H

| | | | | |
|---|---|---|---|---|
| habitual | 习惯 | xíguàn | a. | L16 |
| haggle over, fuss about, take seriously | 计较 | jìjiào | v. | L15 |
| hair | 头发 | tóu·fa | n. | L8 |
| halt, stop one's step | 停步 | tíng bù | v. | L8 |
| hammer, strike | 锤 | chuí | v. | L24 |
| hand down, circulate | 流传 | liúchuán | v. | L3 |
| hang | 挂 | guà | v. | L10 |
| happen, occur, take place | 发生 | fāshēng | v. | L14/21 |
| hard to endure, feel uncomfortable | 难受 | nánshòu | a. | L21 |
| hard to forget | 难忘 | nánwàng | a. | L18 |
| hardworking | 辛苦 | xīnkǔ | a. | L11 |
| harm, hurt; do harm to | 伤害 | shānghài | n./v. | L5 |
| harmonious | 良好 | liánghǎo | a. | L14 |
| hateful; it's a pity that | 可恨 | kěhèn | a | L25 |
| have a flu | 感冒 | gǎnmào | v. | L10 |
| have a meeting | 开会 | kāihuì | v. | L24 |
| have a meteoric rise | 一步登天 | yībùdēngtiān | v. | L12 |
| have a war/battle | 打仗 | dǎzhàng | v. | L24 |
| have an entirely new face | 面貌一新 | miànmàoyīxīn | phr. | L14 |
| have little talent and less learning; one's knowledge is flimsy | 才疏学浅 | cáishūxuéqiǎn | a. | L12 |
| have no requirement or limitation | 不限 | bùxiàn | v. | L4 |
| have one's spirits dampened, feel disappointed | 扫兴 | sǎoxìng | v. | L24 |
| have to (reluctantly) | 不得不 | bu·debù | aux. | L8 |
| have to, must | 必须 | bìxū | aux. | L17 |
| have, exist | 存在 | cúnzài | v. | L2 |
| hawk goods on the street | 摆地摊 | bǎidìtān | v. | L16 |
| head broken and bleeding | 头破血出 | tóupòxuěchū | phr. | L8 |
| head of state | 元首★ | yuánshǒu | n. | L21 |
| heading, title | 标题 | biāotí | n. | L16 |
| headline on the front page | 头版头条 | tóubǎntóutiāo | n. | L21 |
| health center | 医务室 | yīwùshì | n. | L18 |
| hear and see | 耳闻目睹 | ěrwénmùdǔ | v. | L8 |
| heard | 听说 | tīngshuō | v. | L3 |
| heart | 心 | xīn | n. | L3 |
| heartbeat | 心跳 | xīntiào | n. | L10 |
| heart-calming pill; something that puts one at ease by guaranteeing an outcome | 定心丸 | dìngxīnwán | n./a | L13 |
| heat, fever | 热 | rè | n. | L2 |
| height | 身高 | shēngāo | n. | L4 |
| help by the arm | 搀 | chān | v. | L8 |
| hence, as a result | 于是 | yúshì | adv. | L7 |
| herbal medicine | 草药 | cǎoyào | n. | L10 |
| hesitate | 踌躇 | chóuchú | v. | L8 |
| hesitate | 犹豫 | yóuyù | v. | L15 |
| Hey | 嘿 | hēi | interj. | L3 |
| hide | 藏 | cáng | v. | L8 |
| hide | 躲 | duǒ | v. | L25 |

| | | | | |
|---|---|---|---|---|
| in good health | 健康 | jiànkāng | *a.* | L4 |
| in large quantity, numerously | 大量 | dàliàng | *adv.* | L5 |
| in my view | 在我看来 | zàiwǒkànlái | *phr.* | L1 |
| in reality, realistically | 实际上 | shíjì·shang | *adv.* | L23 |
| in the beginning of (stage or peried) | 初期 | chūqī | *n.* | L5 |
| in the daytime | 白天 | báitiān | *adv.* | L10 |
| in the future | 将来 | jiānglái | *adv.* | L19 |
| in the twinkling of an eye | 一转眼 | yīzhuǎnyǎn | *adv.* | L8 |
| incessantly | 不休 | bùxiū | *adv.* | L3 |
| inclination, orientation | 倾向 | qīngxiàng | *n.* | L23 |
| include | 包括 | bāokuò | *v.* | L11 |
| income | 收入 | shōurù | *n.* | L4 |
| increase in production; increase production | 增产 | zēngchǎn | *n./v.* | L24 |
| indeed | 的确 | díquè | *adv.* | L2 |
| indicates obviousness | 呗△ | bei | *part.* | L24 |
| indicating "get used to" | 惯 | guàn | *a.* | |
| indicating "out"; merely, simply | 光 | guāng | *a./adv.* | L1 |
| indicating "that's all, only, nothing much" | 罢了 | bà·le | *part* | L8 |
| indispensable | 必不可少★ | bìbùkěshǎo | *a.* | L21 |
| infer, deduce | 推导 | tuīdǎo | *v.* | L23 |
| (informal) middle-aged woman | 大姐△ | dàjiě | *n.* | L15 |
| (informal) old man | 大爷△ | dà·ye | *n.* | L15 |
| (informal) young girl | 姑娘△ | gū·niang | *n.* | L15 |
| (informal) young man | 小伙儿△ | xiǎohuǒr | *n.* | L15 |
| Input | 输入 | shūrù | *v./n.* | L6 |
| inside of a bus, car of a train | 车厢 | chēxiāng | *n.* | L15 |
| instability | 不安定 | bùāndìng | *n.* | L5 |
| install | 安装 | ānzhuāng | *v.* | L6 |
| instantly | 刹时 | shàshí | *adv.* | L8 |
| instrument | 乐器 | yuèqì | *n.* | L23 |
| intellectual property rights, | 知识产权 | zhī·shichǎnquán | *n.* | L1 |
| interest | 兴趣 | xìngqù | *n.* | L5 |
| interest, benefit | 利益 | lìyì | *n./v.* | L20 |
| international | 国际 | guójì | *a.* | L1/21 |
| internet bar | 网吧 | wǎngba | *n.* | L6 |
| internet worm, a person who addicts to internet | 网虫 | wǎngchóng | *n.* | L6 |
| internet, world wide web | 互联网 | hùliánwǎng | *n.* | L6 |
| interview | 采访 | cǎifǎng | *v.* | L1 |
| intrinsic, inherent | 固有 | gùyǒu | *a.* | L23 |
| introduce | 介绍 | jièshào | *v.* | L4 |
| invasion; invade | 侵略 | qīnlüè | *n./v.* | L6 |
| invention; invent | 发明 | fāmíng | *n./v.* | L3/16 |
| invest; investment | 投资 | tóuzī | *v./n.* | L14/19 |
| investment; invest | 利益 | lìyì | *n.* | L14 |
| invite | 请 | qǐng | *v.* | L5 |
| invite (for meeting) | 约 | yuē | *v.* | L7 |
| involve | 牵涉★ | qiānshè | *v.* | L20 |
| involved, related | 有关 | yǒuguān | *a.* | L5 |
| IQ | 智商 | zhìshāng | *n.* | L16 |
| Iraq | 伊拉克 | Yīlākè | *n.* | L24 |
| Italy | 意大利 | Yìdàlì | *p.n.* | L21 |

词表一英文字母索引

## J

| | | | | |
|---|---|---|---|---|
| Jazz | 爵士 | juéshì | *n.* | L3 |

| | | | | |
|---|---|---|---|---|
| join | 参加 | cānjiā | v. | L3 |
| judge | 评论 | pínglùn | v. | L24 |
| jump into conclusions | 妄下判断★ | wàngxiàpànduàn | v. | L24 |
| junior high school | 初中 | chūzhōng | n. | L2 |

## K

| | | | | |
|---|---|---|---|---|
| karaoke | 卡拉OK | kǎlā OK | n. | L3 |
| keep | 保持 | bǎochí | v. | L2 |
| keep in balance; balance | 平衡 | pínghéng | v.n. | L10 |
| key in | 打 | dǎ | v. | L6 |
| kill time | 消磨时光 | xiāomóshíguāng | v. | L21 |
| kind, benevolent | 慈祥 | cíxiáng | a. | L15 |
| kind, type | 类 | lèi | n. | L4 |
| knock forcefully, smash | 砸 | zá | v. | L15 |
| knowledge | 学问 | xué · wen | n. | L24 |
| knowledge | 知识 | zhī · shi | n. | L1 |
| Korea | 韩国 | Hánguó | n. | L14 |

## L

| | | | | |
|---|---|---|---|---|
| lack | 缺乏 | quēfá | v. | L2 |
| lack deep understanding | 半瓶醋 | bànpíngcù | n. | L13 |
| lady | 女士 | nǚshì | n. | L4 |
| land | 土地 | tǔdì | n. | L18 |
| landlord | 地主 | dìzhǔ | n. | L25 |
| law (as a profession) | 法学 | fǎxué | n. | L5 |
| layer | 层面 | céngmiàn | n. | L23 |
| lead to | 导致 | dǎozhì | v. | L5 |
| leader | 领导人 | lǐngdǎorén | n. | L2/20 |
| leading | 领先 | lǐngxiān | a. | L2 |
| lean on | 支 | zhī | v. | L25 |
| learn to | 学着 | xué · zhe | v. | L24 |
| leave (traces) | 留 | liú | v. | L8 |
| leave, to depart | 离开 | líkāi | v. | L16 |
| legal | 法制 | fǎzhì | a. | L5 |
| Legal Daily | 法制报 | Fǎzhìbào | n. | L21 |
| length (of a newspaper) | 篇幅 | piānfú | n. | L21 |
| lesson | 教训 | jiàoxùn | n. | L17 |
| let off, vent | 发泄 | fāxiè | v. | L17 |
| level | 水平 | shuǐpíng | n. | L2 |
| levelheaded, calm | 冷静 | lěngjìng | a. | L15 |
| lie in, rest with, depend on | 在于★ | zàiyú | v. | L15 |
| lie with face down | 伏 | fú | v. | L8 |
| life | 人生 | rénshēng | n. | L4 |
| Life | 生活 | shēnghuó | n. | L5 |
| (life) sad, tragic | 悲惨 | bēicǎn | a. | L3 |
| lift (one's) head | 抬头 | táitóu | v. | L15 |
| Light | 灯光 | dēngguāng | n. | L11 |
| Lily | 百合 | Bǎihé | p.n. | L25 |
| Limited | 有限 | yǒuxiàn | a. | L1/22 |
| Line | 线 | xiàn | n. | L14 |
| link, connect | 连 | lián | v. | L3 |
| listen attentively to | 倾听 | qīngtīng | v. | L25 |
| listen respectfully | 洗耳恭听 | xǐ'ěrgōngtīng | v. | L12 |

# M

| machine | 机器 | jīqì | n. | L16 |
|---|---|---|---|---|
| mad | 疯狂 | fēngkuáng | a. | L2 |
| magazine | 杂志 | zázhì | n. | L4 |
| mail order | 邮购 | yóugòu | n. | L16 |
| Mainland China | 大陆 | dàlù | n. | L19 |
| maintain | 维护 | wéihù | v. | L5 |
| make a mistake | 犯错 | fàncuò | v. | L17 |
| make excessive reports | 大做文章 | dàzuòwénzhāng | v. | L5 |
| make friends | 交朋友 | jiāopéngyǒu | v. | L2 |
| make it, catch up | 赶上 | gǎnshàng | v. | L2 |
| make remarks about someone | 品头论足★ | pǐntóulùnzú | v. | L24 |
| make sense | 有道理 | yǒudàolǐ | v. | L10 |
| manage, run (business); management | 经营 | jīngyíng | v./n. | L19 |
| manager | 经理 | jīnglǐ | n. | L13 |
| (manufacuturing, production) cost | 成本 | chéngběn | n. | L19 |
| Map | 地图 | dìtú | n. | L15 |
| marital history | 婚史 | hūnshǐ | n. | L4 |
| Market | 市场 | shìchǎng | n. | L1 |
| market economy | 市场经济 | shìchǎngjīngjì | n. | L1 |
| (market) trend | 行情 | hángqíng | n. | L12 |
| marriage broker, matchmaker | 红娘 | hóngniáng | n. | L4 |
| (marriage) prospect | 对象 | duìxiàng | n. | L4 |
| martial arts | 武术 | wǔshù | n. | L4 |
| Mary | 玛丽 | mǎlì | p.n. | L3 |
| match; matching, suitable | 相称 | xiāngchèn | v./a. | L4 |
| mature; ripen | 成熟 | chéngshú | a./v. | L5/18 |
| May we ask ...? | 试问★ | shìwèn | phr. | L23 |
| meander | 闲逛 | xiánguàng | v. | L16 |
| meaning, significance | 意义 | yìyì | n. | L1 |
| Meaningful | 有意义 | yǒuyìyì | a. | L8 |
| measure word | 量词 | liàngcí | n. | L21 |
| measure word for thend | 股 | gǔ | m.w. | L16 |
| meat; flesh | 肉 | ròu | n. | L18 |
| meddlesome | 多事 | duōshì | a. | L8 |
| media, the press | 媒体 | méitǐ | n. | L5 |
| mediate a fight | 劝架 | quànjià | v. | L15 |
| medical science | 医学 | yīxué | n. | L14 |
| meet | 会见★ | huìjiàn | v. | L22 |
| meet and talk; meeting | 会谈★ | huìtán | v./n. | L22 |
| melon seed | 瓜子 | guāzǐ | n. | L11 |
| member (of a committee) | 委员 | wěiyuán | n. | L5 |
| memory, recollection | 回忆 | huíyì | n. | L18 |
| mental; soul, mentality | 心灵★ | xīnlíng | a./n. | L17 |
| merchandise, commodity | 商品 | shāngpǐn | n. | L4/16 |
| merchant scholar | 儒商 | rúshāng | n. | L16 |
| metropolis, city | 都市 | dūshì | n. | L18 |
| Microsoft | 微软 | wēiruǎn | n. | L6 |
| middle-aged | 中年 | zhōngnián | a. | L15 |
| military affairs | 军事 | jūnshì | n. | L2 |
| military force | 武力 | wǔlì | n. | L8 |
| military strength | 军力 | jūnlì | n. | L24 |
| minimum, least | 起码 | qǐmǎ | a. | L2 |

| | | | | |
|---|---|---|---|---|
| Minister | 部长 | bùzhǎng | n. | L22 |
| ministry | 部 | bù | n. | L1 |
| Ministry of Defense | 国防部 | guófángbù | n. | L14 |
| Ministry of Education | 教育部 | jiàoyùbù | n. | L1 |
| Minus | 减 | jiǎn | v. | L12 |
| mischievous | 淘气 | táoqì | a. | L17 |
| misunderstanding | 误解 | wùjiě | n. | L22 |
| mix up | 混合 | hùnhé | v. | L11 |
| Mixed | 杂 | zá | a. | L25 |
| model, paradigm | 模式 | móshì | n. | L23 |
| Modern | 现代 | xiàndài | a. | L3 |
| (modern) play | 话剧 | huàjù | n. | L11 |
| modernize, modernization | 现代化 | xiàndàihuà | v.n | L5 |
| "money tree"; money maker | 摇钱树 | yáoqiánshù | n. | L13 |
| Moon | 月亮 | yuè · liang | n. | L3 |
| Morning | 晨★ | chén | n. | L22 |
| Morsel | 口 | kǒu | n. | L7 |
| mother tongue, native language | 母语 | mǔyǔ | n. | L6 |
| Move | 搬 | bān | v. | L7/19 |
| move bowels | 拉屎 | lāshǐ | v. | L18 |
| multi-layered | 多层面 | duōcéngmiàn | a. | L23 |
| murder | 凶杀 | xiōngshā | n. | L21 |
| museum | 博物馆 | bówùguǎn | n. | L11 |
| music | 音乐 | yīnyuè | n. | L3 |
| music notes | 曲谱 | qǔpǔ | n. | L3 |
| must, have to | 须 | xū | aux. | L8 |
| My Goodness | 天啊 | tiān'a | phr. | L10 |
| myself | 本人 | běnrén | pron. | L4 |

## N

| | | | | |
|---|---|---|---|---|
| name of a person | 白珊 | Bái Shān | p.n. | L4 |
| name of a person | 陈刚 | Chén Gāng | p.n. | L7 |
| name of a person | 崔健 | Cuī Jiàn | p.n. | L3 |
| name of a person | 邓丽君 | Dèng Lìjūn | p.n. | L3 |
| name of a person | 邓小平 | Dèng Xiǎopíng | p.n. | L20 |
| name of a person | 韩建平 | Hán Jiànpíng | p.n. | L5 |
| name of a person | 胡锦涛 | Hú Jǐntāo | p.n. | L22 |
| name of a person | 李齐 | Lǐ Qí | p.n. | L5 |
| name of a person | 刘梅 | Liú Méi | p.n. | L7 |
| name of a person | 刘平 | Liú Píng | p.n. | L5 |
| name of a person | 马林生 | Mǎ Línshēng | p.n. | L24 |
| name of a person | 马锐 | Mǎ Ruì | p.n. | L24 |
| name of a person | 沈建良 | Shěn Jiànliáng | p.n. | L4 |
| name of a person | 孙宏 | Sūn Hóng | p.n. | L5 |
| name of a person | 王伟 | Wáng Wěi | p.n. | L5 |
| name of a person | 许翔 | Xǔ Xiáng | p.n. | L10 |
| name of a person | 许仪 | Xǔ Yí | p.n. | L5 |
| name of a person | 张爱玲 | Zhāng Àilíng | p.n. | L9 |
| name of a person | 张青 | Zhāng Qīng | p.n. | L5 |
| name of a person | 郑伯龙 | Zhèng Bólóng | p.n. | L19 |
| name of a place | 金山 | Jīnshān | p.n. | L22 |
| name of person | 鲁迅 | Lǔ Xùn | p.n. | L8 |
| name of person | 谢文明 | Xiè Wénmíng | p.n. | L3 |
| Nationalist Party (KuoMinTang) | 国民党 | Guómíndǎng | p.n. | L19 |

| nationality | 国籍 | guójí | n. | L4 |
|---|---|---|---|---|
| needs | 需求 | xūqiú | n. | L1 |
| neither smoke nor drink | 烟酒不沾 | yānjiǔbùzhān | phr. | L4 |
| net | 网络 | wǎngluò | n. | L6 |
| news | 新闻 | xīnwén | n. | L6 |
| news announcer | 播音员 | bōyīnyuán | n. | L24 |
| news digest | 文摘报 | Wénzhāibào | n. | L21 |
| (news) reporter | 记者 | jìzhě | n. | L1 |
| news, information | 消息 | xiāo·xi | n. | L21 |
| newspaper and journal | 报刊 | bàokān | n. | L4 |
| next, secondly | 其次 | qícì | adv. | L10 |
| Nickname | 外号 | wàihào | n. | L7 |
| no matter | 不管 | bùguǎn | conj. | L6 |
| noisy | 吵 | chǎo | a. | L3 |
| normal | 正常 | zhèngcháng | a. | L5/15 |
| Normal University, Teachers' College | 师范大学 | shīfàn dàxué | n | L4 |
| nose blood | 鼻血 | bíxiě | n. | L18 |
| not enough | 不足 | bùzú | a. | L25 |
| not necessarily | 不见得 | bùjiàndé | phr. | L25 |
| not necessarily | 未必★ | wèibì | adv. | L25 |
| note | 条子 | tiáo·zi | n. | L6 |
| notes | 笔记 | bǐjì | n. | L23 |
| notion, concept | 观念 | guānniàn | n. | L5/23 |
| notorious | 臭名昭著 | chòumíngzhāozhù | a. | L20 |
| novel | 小说 | xiǎoshuō | n. | L5 |
| number | 数字 | shùzì | n. | L5 |
| nurture, train | 培养 | péiyǎng | v. | L14 |
| nutrition | 营养 | yíngyǎng | n. | L21 |

## O

| observation; observe | 观察 | guānchá | n./v. | L5 |
|---|---|---|---|---|
| obvious, apparent | 明显 | míngxiǎn | a. | L2 |
| occasion | 场合 | chǎnghé | n. | L23 |
| occupation | 职业 | zhíyè | n. | L16 |
| occupy, account | 占 | zhàn | v. | L19 |
| of …, among… | 其中 | qízhōng | a. | L6 |
| of foreign nationality | 外籍 | wàijí | a. | L4 |
| (of prices) to increase, rise | 涨 | zhǎng | v. | L1 |
| Official | 官方 | guānfāng | a. | L19 |
| (official) leader | 领导 | lǐngdǎo | n. | L14 |
| official, staff | 干部 | gànbù | n. | L24 |
| often, all the time | 时时 | shíshí | adv. | L8 |
| Oh! | 噢 | ō | interj. | L7 |
| okay, fine | 行 | xíng | a. | L12 |
| old | 旧有★ | jiùyǒu | a. | L23 |
| old man | 老翁 | lǎowēng | n. | L25 |
| old saying | 老话 | lǎohuà | n. | L10 |
| old-styled | 老式 | lǎoshì | a. | L11 |
| omit | 省略 | shěnglüè | v. | L22 |
| on the contrary, in contrast | 相反地 | xiāngfǎn·de | adv. | L16 |
| Once | 一旦 | yīdàn | adv. | L15 |
| once the war starts | 战端一启★ | zhànduānyīqǐ | phr. | L24 |
| one after another | 纷纷 | fēnfēn | adv. | L16 |
| one hundred million | 亿 | yì | m.w. | L16 |

| | | | | |
|---|---|---|---|---|
| ones call gets a hundred responses | 一呼百应 | yīhūbǎiyìng | v. | L12 |
| one-sided affair | 一边倒 | yībiāndǎo | n. | L24 |
| one-sided, biased | 片面 | piànmiàn | a. | L5 |
| only | 唯一 | wéiyī | a. | L6 |
| only, simply, just | 仅★ | jǐn | adv. | L23 |
| open (eyes) | 睁 | zhēng | v. | L1 |
| open, receptive | 开放 | kāifàng | a. | L23 |
| opera | 歌剧 | gējù | n. | L11 |
| opinion | 意见 | yìjiàn | n. | L2 |
| opium | 鸦片 | yāpiàn | n. | L23 |
| oppiste | 相反 | xiāngfǎn | a. | L2 |
| opportunity | 机会 | jīhuì | n. | L2 |
| oppose | 反对 | fǎnduì | v. | L2/20 |
| opposite door | 对门 | duìmén | n. | L9 |
| opposite side, across the road | 对面 | duìmiàn | n. | L15 |
| opposition party | 反对党 | fǎnduìdǎng | n. | L20 |
| optimistic | 乐观 | lèguān | a. | L14 |
| order | 秩序 | zhìxù | n. | L1 |
| order, point, dot | 点 | diǎn | v. | L7 |
| order, sequence | 顺序 | shùnxù | n. | L22 |
| ordinary | 普通 | pǔtōng | a. | L19 |
| ordinary | 一般 | yībān | a. | L4 |
| original road, coming road | 来路★ | láilù | n. | L25 |
| originally | 原来 | yuánlái | adv. | L6 |
| originally; it turns out to be that… | 原来 | yuánlái | adv. | L16 |
| other places | 外地 | wàidì | n. | L15 |
| otherwise | 否则 | fǒuzé | conj. | L8 |
| otherwise | 要不然 | yàoburán | adv. | L1 |
| out-dated | 过时 | guòshí | a. | L5 |
| overcoat | 外套 | wàitào | n. | L8 |
| over-praise; be flattered | 过奖 | guòjiǎng | v. | L12 |
| overthrow | 推翻 | tuīfān | v. | L20 |

## P

| | | | | |
|---|---|---|---|---|
| Pacific Ocean | 太平洋 | tàipíngyáng | p.n. | L13 |
| padded vest | 棉背心 | mián bèixīn | n. | L8 |
| page | 页 | yè | n. | L21 |
| pain | 痛苦 | tòngkǔ | n. | L8 |
| pain killer | 止痛片 | zhǐtòngpiàn | n. | L10 |
| painted facial mask, makeup | 脸谱 | liǎnpǔ | n. | L11 |
| palm of hand | 巴掌 | bā·zhang | n. | L12 |
| Panama | 巴拿马 | Bānámǎ | p.n. | L24 |
| park | 公园 | gōngyuán | n. | L14 |
| participate | 参与 | cānyù | v. | Ltt6/16 |
| partner | 伴侣 | bànlǚ | n. | L4 |
| pass | 递 | dì | v. | L25 |
| pass | 通过 | tōngguò | v. | L2 |
| pass away | 逝★ | shì | v. | L22 |
| passenger | 乘客 | chéngkè | n. | L15 |
| passing traveler | 过客 | guòkè | n. | L25 |
| patient | 病人 | bìngrén | n. | L10 |
| pay (fee), hand in, give to | 交 | jiāo | v. | L1/18 |
| pay attention | 理会 | lǐhuì | v. | L8 |
| pay attention to | 理 | lǐ | v. | L7 |

| peace; peaceful | 和平 | hépíng | n./a. | L23 |
|---|---|---|---|---|
| peach tree | 桃树 | táoshù | n. | L9 |
| people | 人民 | rénmín | n. | L3 |
| (people) of different colors | 肤色各异★ | fūsègèyì | a. | L24 |
| people, the masses | 大众 | dàzhòng | n. | L23 |
| 人民代表大会People's Congress | 人大 | réndà | n. | L5 |
| percentage | 分 | fēn | n. | L3 |
| perfect | 完美 | wánměi | a. | L2 |
| perfect, happy (family) | 美满 | měimǎn | a. | L5 |
| perfectly straight | 笔直 | bǐzhí | a. | L17 |
| perform (music instrument) | 演奏 | yǎnzòu | v. | L3 |
| person of foreign nationality | 外籍人士 | wàijírénshì | n. | L4 |
| personal; individual | 个人 | gèrén | a./n. | L2/20 |
| personality | 性格 | xìnggé | n. | L4 |
| persuade, persuade with words | 说服 | shuōfú | v. | L17 |
| philosophy | 哲学 | zhéxué | n. | L23 |
| phonetic translation of Charles | 查理 | Chálǐ | p.n. | L10 |
| physical pain | 皮肉之苦★ | píròuzhīkǔ | n. | L17 |
| picky, fastidious | 讲究 | jiǎng·jiu | a. | L1 |
| picture, image | 画面 | huàmiàn | n. | L24 |
| pioneer | 先锋 | xiānfēng | n. | L3 |
| place | 所在★ | suǒzài | n. | L25 |
| planned economy | 计划经济 | jìhuàjīngjì | n. | L1 |
| plate | 盘子 | pán·zi | n. | L1 |
| play | 戏 | xì | n. | L11 |
| play an unimportant role | 跑龙套 | pǎolóngtào | v. | L13 |
| play piano by touching the keys at random; mess things up | 乱弹琴 | luàntánqín | v. | L13 |
| plunge into the (business) sea | 下海 | xiàhǎi | v. | L13 |
| poetry and lyrics | 诗词 | shīcí | n. | L1 |
| point out, propose | 提出 | tíchū | v. | L5 |
| polarization | 两极分化 | liǎngjífēnhuà | n. | L4 |
| police officer | 巡警 | xúnjǐng | n. | L8 |
| police station | 派出所 | pàichūsuǒ | n. | L15 |
| Policy | 政策 | zhèngcè | n. | L1 |
| (political) party | 党 | dǎng | n. | L19 |
| political prisoner | 政治犯 | zhèngzhìfàn | n. | L20 |
| Politics | 政治 | zhèngzhì | n. | L3 |
| Pond | 池塘 | chítáng | n. | L25 |
| Ponder | 沉思 | chénsī | v. | L25 |
| Ponder | 思索★ | sīsuǒ | v. | L8/24 |
| pop up | 冒 | mào | v. | L3 |
| popular, pervasive | 普及 | pǔjí | a. | L6 |
| popular; fashion | 流行 | liúxíng | a./n. | L3/23 |
| population | 人口 | rénkǒu | n. | L2 |
| position | 职务 | zhíwù | n. | L11 |
| position, status | 地位 | dìwèi | n. | L2/16 |
| possess | 具有★ | jùyǒu | v. | L23 |
| possess | 拥有 | yōngyǒu | v. | L4 |
| possess nothing | 一无所有 | yīwúsuǒyǒu | phr. | L3 |
| possibility | 可能性 | kěnéngxìng | n. | L14 |
| post, publish | 发表 | fābiǎo | v. | L20 |
| post, publish | 刊登 | kāndēng | v. | L21 |
| postdoctorate | 博士后 | bóshìhòu | n. | L7 |
| potential | 潜力 | qiánlì | n | L6 |

| | | | | |
|---|---|---|---|---|
| potential | 潜在 | qiánzài | *a.* | L14 |
| power | 力量 | lì·liang | *n.* | L14 |
| Powerful | 强大 | qiángdà | *a.* | L2 |
| powerful pressure | 威压 | wēiyā | *n.* | L8 |
| practical, realistic | 实际 | shíjì | *a.* | L4 |
| Praise | 赞美 | zànměi | *v.* | L5 |
| precocious, premature | 早熟 | zǎoshú | *a.* | L24 |
| predestined affinity, destiny, fate | 缘份 | yuánfèn | *n.* | L7 |
| (prefix for) fake | 假 | jiǎ | *a.* | L16 |
| (prefix for) vice- | 副 | fù | *a.* | L16 |
| president (of a college) | 校长 | xiàozhǎng | *n.* | L1 |
| press | 榨 | zhà | *v.* | L8 |
| pretext, names of things | 名目 | míngmù | *n.* | L25 |
| price | 价格 | jiàgé | *n.* | L16 |
| principle | 原则 | yuánzé | *n.* | L16 |
| privately managed | 私营 | sīyíng | *a.* | L16 |
| process | 过程 | guòchéng | *n.* | L14 |
| processing fee | 手续费 | shǒuxùfèi | *n.* | L5 |
| produce, to make | 制造 | zhìzào | *v.* | L20 |
| product | 产品 | chǎn·pǐn | *n.* | L16 |
| production; produce | 生产 | shēngchǎn | *n./v.* | L10/16 |
| profit; make profits | 盈利 | yínglì | *n./v.* | L19 |
| progress; make progress | 进步 | jìnbù | *n./v.* | L20 |
| prohibit | 禁止★ | jìnzhǐ | *v.* | L6/20 |
| proof, evidence | 证据 | zhèngjù | *n.* | L20 |
| propaganda | 宣传 | xuānchuán | *n.* | L19 |
| proper, safe | 稳当 | wěn·dang | *a.* | L25 |
| property | 财产 | cáichǎn | *n.* | L21 |
| proportion | 比例 | bǐlì | *n.* | L18 |
| props, setting | 布景 | bùjǐng | *n.* | L11 |
| protect; protection | 保护 | bǎohù | *v./n.* | L14 |
| provided that …, if … | 要是 | yàoshì | *conj.* | L10 |
| prune, trim | 修剪 | xiūjiǎn | *v.* | L17 |
| psychologist | 心理学家 | xīnlǐxuéjiā | *n.* | L17 |
| psychology | 心理学 | xīnlǐxué | *n.* | L2 |
| public notice/advertisement | 启事 | qǐshì | *n.* | L4 |
| public opinion | 舆论 | yúlùn | *n.* | L20 |
| publish (books) | 出 | chū | *v.* | L1 |
| publish, release | 出版 | chūbǎn | *v.* | L21 |
| publishing company | 出版社 | chūbǎnshè | *n.* | L1 |
| puddle | 水洼 | shuǐwā | *n.* | L25 |
| purchase | 购买 | gòumǎi | *v.* | L16 |
| purchase | 收购 | shōugòu | *v.* | L6 |
| pure and graceful | 清纯 | qīngchún | *a.* | L4 |
| pure heart | 冰心 | bīngxīn | *n.* | L4 |
| purely, simply | 纯粹 | chúncuì | *adv.* | L1 |
| put a high hat on a person; to flatter | 戴高帽 | dàigāomào | *v.* | L13 |
| put an (orderly) end to the situation | 收拾局面 | shōu·shi júmiàn | *v.* | L15 |
| put aside | 搁起 | gēqǐ | *v.* | L8 |
| put on makeup | 化妆 | huàzhuāng | *v.* | L15 |

## Q

| | | | | |
|---|---|---|---|---|
| quality | 素质 | sùzhì | *n.* | L2 |
| quality | 质量 | zhìliàng | *n.* | L2 |

| quantity | 数量 | shūliàng | n. | L22 |
| quarrel, fight | 吵架 | chǎojià | v. | L5 |
| quarrel, tiff | 吵嘴 | chǎozuǐ | n./v. | L15 |
| questionnaire | 问卷 | wènjuàn | n. | L21 |
| quietly | 默默地 | mòmò·de | a. | L25 |
| quintessence of Chinese culture | 国粹 | guócuì | n. | L11 |

## R

| radical (of characters) | 偏旁 | piān páng | n. | L6 |
| ragged | 破烂 | pòlàn | a. | L8 |
| ragged | 破碎 | pòsuì | a. | L25 |
| raining season | 雨季 | yǔjì | n. | L4 |
| raise one's hand | 举手 | jǔshǒu | v. | L18 |
| raise, lift | 抬 | tái | v. | L1 |
| rare | 少有 | shǎoyǒu | a. | L25 |
| rarely seen | 少见 | shǎojiàn | a. | L22 |
| raticide | 老鼠药 | lǎoshǔyào | n. | L16 |
| rational, reasonable | 讲理 | jiǎnglǐ | a. | L15 |
| reach as high as…, up to | 高达 | gāodá | v. | L16 |
| reach to, go to | 就 | jiù | v. | L25 |
| read | 阅读 | yuèdú | v. | L23 |
| read, recite | 念 | niàn | v. | L11 |
| readability | 可读性 | kědúxìng | n. | L21 |
| reader | 读者 | dúzhě | n. | L1 |
| real estate | 房地产 | fángdìchǎn | n. | L13 |
| really | 实在 | shí·zai | adv. | L1 |
| reason | 理由 | lǐyóu | n. | L6 |
| reason | 缘故★ | yuángù | n. | L25 |
| rebel | 造反者 | zàofǎnzhě | n. | L11 |
| recite | 背 | bèi | v. | L8 |
| reckless, blunt, rushed | 鲁莽 | lǔmǎng | a. | L11 |
| recognize | 认出 | rènchū | v. | L7 |
| recommend | 推荐 | tuījiàn | v. | L3 |
| record | 录 | lù | v. | L15 |
| recover, regain | 恢复 | huīfù | v. | L25 |
| redundant, unnecessary | 多余 | duōyú | a. | L15 |
| reflect | 反映 | fǎnyìng | v. | L14 |
| refundable if not effective | 无效退款★ | wúxiàotuìkuǎn | phr. | L16 |
| regrettable, too bad that… | 可惜 | kěxī | a. | L3 |
| regularity, law (not in legal sense) | 规律 | guīlǜ | n. | L10 |
| regulation, rule | 规定 | guīdìng | n. | L1 |
| reheat cold rice; rehash old topics | 炒冷饭 | chǎolěngfàn | v. | L13 |
| reinforce, strengthen | 加强 | jiāqiáng | v. | L5 |
| relations | 关系 | guānxì | n. | L1 |
| relative | 亲眷 | qīnjuàn | n. | L9 |
| relatively, comparatively | 相对 | xiāngduì | adv. | L5 |
| release (a product) | 推出 | tuīchū | v. | L6 |
| remember | 记得 | jì·de | v. | L25 |
| repeatedly | 几次三番 | jǐcìsānfān | adv. | L9 |
| repeatedly (say) | 连声 | liánshēng | adv. | L7 |
| repeatedly, over and over | 反复 | fǎnfù | adv. | L22 |
| replace | 代替 | dàitì | v. | L6 |
| report | 报导 | bàodǎo | v./n. | L5/21 |
| representative | 有代表性 | yǒudàibiǎoxìng | a. | L3 |

| representative; represent | 代表 | dàibiǎo | n./v. | L3/20 |
| require; requirement, request | 要求 | yāoqiú | v./n. | L4 |
| reside | 居住 | jūzhù | v. | L4 |
| reside permanently | 常驻★ | chángzhù | v. | L19 |
| Respectively | 各自 | gèzì | adv. | L9 |
| responsibility | 责任 | zérèn | n. | L5 |
| rest | 息 | xī | v. | L25 |
| rest assured | 放心 | fàngxīn | v. | L16 |
| restriction; restrict, limit | 限制 | xiànzhì | n./v. | L16 |
| result | 结果 | jiéguǒ | n. | L15 |
| resultative compound for "make it" | 成 | chéng | v. | L9 |
| retain, to reserve | 保留 | bǎoliú | v. | L20 |
| retreat, draw back | 缩 | suō | v. | L18 |
| Revolution | 革命 | gémìng | n. | L3 |
| rickshaw | 人力车 | rénlìchē | n. | L8 |
| ridicule, laugh at | 笑话 | xiàohua | v. | L7 |
| right | 权利 | quánlì | n. | L17 |
| right after | 随即★ | suíjí | adv. | L25 |
| riot | 动乱 | dòngluàn | n. | L20 |
| rising; rise | 上升 | shàngshēng | a./n. | L5 |
| rising; rise | 升高 | shēnggāo | a./n | L5 |
| road | 道路 | dàolù | n. | L4 |
| rob | 抢劫 | qiǎngjié | v. | L22 |
| robe | 长袍 | chángpáo | n. | L25 |
| rock and roll | 摇滚乐 | yáogǔnyuè | n. | L3 |
| role | 角色 | juésè | n. | L11 |
| romantic | 浪漫 | làngmàn | a. | L4 |
| roof | 屋顶 | wūdǐng | n. | L18 |
| root of the tree | 树根 | shùgēn | n. | L25 |
| rose | 蔷薇 | qiángwēi | n. | L25 |
| rove, meander | 流浪 | liúlàng | v. | L4 |
| rubble | 瓦砾 | wǎlì | n. | L25 |
| ruin | 糟践 | zāojiàn | v. | L1 |
| ruined | 破败 | pòbài | a. | L25 |
| run into, bump into | 碰到 | pèngdào | v. | L16 |
| run, open, prescribe | 开 | kāi | v. | L7 |
| rush | 闯 | chuǎng | v. | L25 |
| rushed, without careful consideration | 草率 | cǎoshuài | a. | L5 |

## S

| sacred | 神圣 | shénshèng | a. | L20 |
| sacrifice | 牺牲 | xīshēng | v./n. | L18 |
| sad, heartbroken | 伤心 | shāngxīn | a. | L1 |
| safe | 平安 | píng'ān | a. | L25 |
| sage | 圣人 | shèngrén | n. | L3 |
| salary | 工资 | gōngzī | n. | L2 |
| San Francisco | 旧金山 | Jiùjīnshān | p.n. | L7 |
| satisfactory, smooth | 顺心 | shùnxīn | a. | L17 |
| save back | 挽回 | wǎnhuí | v. | L15 |
| save one from having to worry | 省心 | shěngxīn | v. | L1 |
| say goodbye | 告别★ | gàobié | v. | L25 |
| scale, extent | 幅度 | fúdù | n. | L5 |
| scared, frightened | 怕 | pà | a. | L10 |
| scholar | 学者 | xuézhě | n. | L6/20 |

词表（英文字母索引）

227

| | | | | |
|---|---|---|---|---|
| (SL) self-made man; one rich through business acumen. "Bit shot." | 倒爷△ | dǎoyé | n. | L16 |
| (SL) soldier | 大兵△ | dàbīng | n. | L24 |
| slap | 掴掌 | guózhǎng | v. | L18 |
| slap on the ear/face | 耳光 | ěrguāng | n. | L18 |
| sleepy | 困 | kùn | a. | L10 |
| slightly | 略 | lüè | adv. | L25 |
| slim, skinny | 干 | gān | a. | L15 |
| small number, minority | 少数 | shǎoshù | n. | L15 |
| smash | 砸烂 | zálàn | v. | L24 |
| smile | 微笑 | wēixiào | v. | L25 |
| smiling tiger; a wolf in sheep's clothing | 笑面虎 | xiàomiànhǔ | n. | L13 |
| smoker | 吸烟者★ | xīyānzhě | n. | L20 |
| smooth sailing; develop smoothly | 一帆风顺 | yīfānfēngshùn | a. | L12 |
| so far, for the time being | 目前★ | mùqián | adv. | L24 |
| soap opera | 电视剧 | diànshìjù | n. | L5 |
| so-called | 所谓 | suǒwèi | a. | L2 |
| sociologist | 社会学家 | shèhuìxuéjiā | n. | L5 |
| sociology | 社会学 | shèhuìxué | n. | L2 |
| soft | 软绵绵 | ruǎnmiánmián | a. | L3 |
| soft, light | 轻轻 | qīngqīng | a. | L9 |
| software | 软件 | ruǎnjiàn | n. | L6 |
| soil | 土 | tǔ | n. | L18 |
| solicit marriage prospects (i.e. through advertisements) | 征婚 | zhēnghūn | v. | L4 |
| solution, way of doing things | 办法 | bànfǎ | n. | L5 |
| solve | 解决 | jiějué | v. | L6 |
| some other day | 改天 | gǎitiān | adv. | L3 |
| some, certain | 某 | mǒu | a. | L4 |
| something in one's own way cut straight to the heart of the matter | 一针见血 | yīzhēnjiànxiě | a. | L12 |
| song | 歌曲 | gēqǔ | n. | L3 |
| son-in-law | 女婿 | nǚxù | n. | L7 |
| soon | 即将 | jíjiāng | adv. | L4 |
| soporific, sleeping pill | 安眠药 | ānmiányào | n. | L10 |
| sorrowful | 悲哀 | bēi'āi | a. | L25 |
| space, layout | 版面 | bǎnmiàn | n. | L22 |
| sparrow | 麻雀 | máquè | n. | L18 |
| speak out of place | 多嘴 | duōzuǐ | v. | L25 |
| special, particular | 特殊 | tèshū | a. | L22 |
| specialty, special feature | 特色 | tèsè | n. | L11 |
| specify | 修饰 | xiūshì | v. | L22 |
| spirit | 精神 | jīngshén | n. | L5 |
| splendid, rivting, exciting | 精彩 | jīngcǎi | a. | L12/24 |
| spoil (a child) | 溺爱 | nì'ài | v. | L17 |
| stability; stable | 安定 | āndìng | n./a. | L16 |
| stable | 稳定 | wěndìng | a. | L23 |
| stable, regular | 固定 | gùdìng | a. | L4 |
| stage | 舞台 | wǔtái | n. | L11 |
| stage, period | 阶段 | jiēduàn | n. | L2 |
| staggering | 踉跄 | liàngqiāng | a. | L25 |
| stagnant | 凝滞 | níngzhì | a. | L8 |
| stand still | 站好 | zhànhǎo | v. | L18 |
| standard | 标准 | biāozhǔn | a. | L23 |
| star (of movies, etc.) | 明星 | míngxīng | n. | L21 |

| | | | | |
|---|---|---|---|---|
| state one's opinions; statement, utterance | 发言 | fāyán | v./n. | L5 |
| statement or testimony made for police investigation | 口供 | kǒugōng | n. | L15 |
| state-owned enterprise | 国营企业 | guóyíngqǐyè | n. | L16 |
| statesman, politician | 政治家 | zhèngzhìjiā | n. | L3/19 |
| static | 静态 | jìngtài | a. | L23 |
| statistics; count | 统计 | tǒngjì | n./v. | L1 |
| steadfast; (literally) plant one's feet on solid ground - do a job honestly and with dedication | 踏实 | tā·shi | a. | L16 |
| steal | 偷 | tōu | v. | L18 |
| step toward, approach | 步入 | bùrù | v. | L4 |
| stereotyped, invariable | 千篇一律 | qiānpiānyīlǜ | a. | L4 |
| stingy | 一毛不拔 | yīmáobùbá | a. | L12 |
| stir and fry; stir-fry | 炒 | chǎo | v./n. | L23 |
| stock | 股票 | gǔpiào | n. | L12 |
| stomach | 胃 | wèi | n. | L10 |
| (store) seller | 售货员 | shòuhuòyuán | n. | L3 |
| store; storage | 储存 | chǔcún | v./n. | L6 |
| story | 故事 | gù·shi | n. | L11 |
| straight | 直 | zhí | a. | L24 |
| straightforward, stiff | 生硬 | shēngyìng | a. | L4 |
| strange | 异样 | yìyàng | a. | L8 |
| strength | 长处 | chángchu | n. | L2 |
| strength | 力气 | lìqì | n. | L25 |
| stressed, nervous | 紧张 | jǐnzhāng | a. | L10 |
| stretch | 伸 | shēn | v. | L25 |
| strict | 严格 | yángé | a. | L4 |
| strong | 强烈 | qiángliè | a. | L3 |
| structure | 结构 | jiégōu | n. | L23 |
| stubborn | 倔强 ★ | juéjiàng | a. | L25 |
| (Stubbornly) insistently | 偏偏 | piānpiān | adv. | L25 |
| study abroad | 留学 | liúxué | v. | L2 |
| stumble | 绊 | bàn | v. | L24 |
| style | 风格 | fēnggé | n. | L3 |
| style, mode, pattern | 方式 | fāngshì | n. | L10/21 |
| subscribe | 订阅 | dìngyuè | v. | L21 |
| success; succeed | 成功 | chénggōng | n./v. | L11 |
| suddenly | 突然 | tūrán | adv. | L7 |
| suddenly stand up | 惊起 ★ | jīngqǐ | v. | L25 |
| suffer with patience | 熬 | áo | v. | L8 |
| Sufficient | 充足 | chōngzú | a. | L24 |
| (suffix) for fan | 迷 | mí | n. | L21 |
| suffix for law | 法 | fǎ | n. | L5 |
| (suffix) rate | 率 | lǜ | n. | L5 |
| suggestion, proposal | 建议 | jiànyì | n. | L5 |
| summer vacation | 暑假 | shǔjià | n. | L1 |
| sumo | 相扑 | xiāngpū | n. | L21 |
| supply | 供应 | gōngyìng | n. | L24 |
| support | 支持 | zhīchí | v./n. | L13 |
| support with hand | 扶 | fú | v. | L8 |
| suppress, inhibit; suppression | 压制 | yāzhì | v./n. | L20 |
| surface | 表面 | biǎomiàn | n. | L23 |
| surgical department | 外科 | wàikē | n. | L15 |
| surpass, exceed, be over | 超过 | chāoguò | v. | L14/19 |
| surprised, astonished | 诧异 | chàyì | a. | L8/25 |

| surprised, astonished | 惊讶 | jīngyà | a. | L2/17 |
| survey, poll | 调查 | diàochá | n. | L17 |
| survival; survive | 生存 | shēngcún | n./v. | L20 |
| symmetrical | 对称 | duìchèn | a. | L11 |
| sympathize | 同情 | tóngqíng | v. | L5 |
| system | 制度 | zhìdù | n. | L14/20 |

# T

| tablet, pill | 药片 | yàopiàn | n. | L10 |
| tail | 尾巴 | wěi·ba | n. | L16 |
| Taipei | 台北 | Táiběi | p.n. | L19 |
| take advantage of | 利用 | lìyòng | v. | L1 |
| take back | 收回 | shōuhuí | v. | L25 |
| take care of | 料理 | liàolǐ | v. | L24 |
| take out (from one's pocket) | 掏 | tāo | v. | L16 |
| take power in office | 执政★ | zhízhèng | v. | L19 |
| take seriously | 当真★ | dàngzhēn | v. | L25 |
| take, get, receive | 接取★ | jiēqǔ | v. | L25 |
| taking the liberty to excuse | 冒昧★ | màomèi | a. | L25 |
| talk cheerfully | 谈笑风生★ | tánxiàofēngshēng | v. | L24 |
| tank | 坦克 | tǎnkè | n. | L24 |
| taste, smell | 味道 | wèi·dao | n. | L7 |
| tears | 眼泪 | yǎnlèi | n. | L25 |
| technique, skill | 技术 | jìshù | n. | L10/16 |
| technology | 科技 | kējì | n. | L2 |
| teenagers | 青少年 | qīngshàonián | n. | L5 |
| temper | 脾气 | pí·qi | n. | L8 |
| temporarily, momentarily | 一时 | yìshí | adv. | L16 |
| temporary, for the time being; for the time being | 暂时 | zànshí | a./adv. | L6/16 |
| ten million of | 千万 | qiānwàn | n. | L9 |
| tend to, usually | 往往 | wǎngwǎng | adv. | L17 |
| tendency | 趋势 | qūshì | n. | L5 |
| tens of thousands of | 成千上万 | chéngqiānshàngwàn | a. | L6 |
| terrific, extraordinary | 了不起 | liǎo·buqǐ | a. | L7 |
| terrorism | 恐怖主义 | kǒngbùzhǔyì | n. | L14 |
| thank you | 托福 | tuōfú | phr. | L25 |
| thank, appreciate | 感谢 | gǎnxiè | v. | L17 |
| that was then, this is now; change takes place with passage of time | 此一时，彼一时 | cǐyīshí, bǐyīshí | phr. | L12 |
| the above-mentioned | 以上★ | yǐshàng | a. | L23 |
| the audience | 观众 | guānzhòng | n. | L11 |
| the author (refer to himself/herself) | 笔者★ | bǐzhě | n. | L23 |
| the Book of Music | 乐经 | Yuèjīng | n. | L23 |
| the Communist Party | 共产党 | Gòngchǎndǎng | n. | L20 |
| the Constitution | 宪法 | xiànfǎ | n. | L20 |
| the dim light of night | 夜色 | yèsè | n. | L25 |
| the Han dynasty (206 B.C.-220 A.D.) | 汉代 | Hàndài | n. | L16 |
| the Hu people (general term non-Han people in the North and West in ancient times.) | 胡 | Hú | n. | L23 |
| the intellectuals | 知识分子 | zhī·shi fēnzǐ | n. | L16 |
| the masses, the public | 群众 | qúnzhòng | n. | L21 |
| the only son/daughter in the family | 独生子女 | dúshēngzǐnǔ | n. | L17 |
| the other party, counterpart, the other person involved | 对方 | duìfāng | n. | L4/20 |

| | | | | |
|---|---|---|---|---|
| the overseas; overseas | 海外 | hǎiwài | *n./a.* | L20 |
| the Qin dynasty (221-206 B.C.) | 秦代 | Qíndài | *n.* | L16 |
| the Qing dynasty (1644 A.D. -1911 A.D.) | 清代 | Qīngdài | *n.* | L23 |
| the same | 同样★ | tóngyàng | *a.* | L17 |
| the sight of one's back | 后影 | hòuyǐng | *n.* | L8 |
| the Six Classics | 六经 | Liùjīng | *n.* | L23 |
| the Sui dynasty (581-618 A.D.) | 隋 | Suí | *p.n.* | L23 |
| the Summer Palace | 颐和园 | Yíhéyuán | *n.* | L15 |
| the third party, the other man/woman | 第三者 | dìsānzhě | *n.* | L5 |
| the West, the Occident | 西方 | xīfāng | *n.* | L5 |
| the whole family | 全家 | quánjiā | *n.* | L4/19 |
| the whole world | 天下 | tiānxià | *n.* | L1 |
| the wild | 荒野 | huāngyě | *n.* | L9 |
| theater | 剧场 | jùchǎng | *n.* | L11 |
| thesis, dissertation | 论文 | lùnwén | *n.* | L10 |
| thick, heavy, dense, strong | 浓 | nóng | *a.* | L15/21 |
| thin, washy | 稀薄 | xībó | *a.* | L25 |
| think quietly | 默想 | mòxiǎng | *v.* | L25 |
| thirsty | 渴 | kě | *a.* | |
| thought | 思想 | sīxiǎng | *n.* | L23 |
| thought | 想法 | xiǎngfǎ | *n.* | L5 |
| threaten; threat | 威胁 | wēixié | *v./n.* | L14/18 |
| "three communications" (direct postal, commercial, and flight connections between Mainlard China and Taiwan) | 三通 | sāntōng | | L19 |
| throw | 抛 | pāo | *v.* | L25 |
| time-honored | 历史悠久★ | lìshǐyōujiǔ | *a.* | L23 |
| times, era | 时代 | shídài | *n.* | L3 |
| tired, exhausted | 困顿★ | kùndùn | *a.* | L25 |
| tired, weary | 劳顿★ | láodùn | *a.* | L25 |
| title | 头衔 | tóuxián | *n.* | L16 |
| to blame | 怪 | guài | *v.* | L8 |
| to bump into | 遇见 | yùjiàn | *v.* | L7 |
| to contact | 联络 | liánluò | *v.* | L1 |
| to count as | 算 | suàn | *v.* | L5 |
| to delay | 误 | wù | *v.* | L8 |
| to destroy, ruin | 破坏 | pòhuài | *v.* | L5 |
| to download | 下载 | xiàzǎi | *v.* | L6 |
| to enter | 进入 | jìnrù | *v.* | L6 |
| to give someone a headache | 令人头疼 | lìngréntóuténg | *v.* | L6 |
| to impose | 征收 | zhēngshōu | *v.* | L5 |
| to influence, affect | 影响 | yǐngxiǎng | *v.* | L1 |
| to look for, seek | 寻找 | xúnzhǎo | *v.* | L4 |
| to obtain, acquire | 取得★ | qǔdé | *v.* | L23 |
| to paste | 贴 | tiē | *v.* | L6 |
| to print | 印 | yìn | *v.* | L1 |
| to reward | 奖 | jiǎng | *v.* | L8 |
| to sigh | 叹气 | tànqì | *v.* | L7 |
| Tokyo | 东京 | Dōngjīng | *n.* | L19 |
| tomato | 蕃茄 | fānqié | *n.* | L18 |
| tomato | 西红柿 | xīhóngshì | *n.* | L21 |
| tomb | 坟 | fén | *n.* | L25 |
| tone | 口吻 | kǒuwěn | *n.* | L18 |
| tone | 声调 | shēngdiào | *n.* | L6 |

| tongue | 舌头 | shé·tou | n. | L10 |
|---|---|---|---|---|
| tongue coating | 舌苔 | shétāi | n. | L10 |
| tool | 工具 | gōngjù | n. | L2 |
| top student | 高材生 | gāocáishēng | n. | L7 |
| topic (for talks, articles, etc) | 题目 | tímù | n. | L12 |
| totally unrelated | 毫不相干★ | háobùxiānggān | a. | L15 |
| touch | 打动 | dǎdòng | v. | L4 |
| touch (emotionally) | 感动 | gǎndòng | v. | L3 |
| tour guide | 导游 | dǎoyóu | n. | L16 |
| tourist | 游客 | yóukè | n. | L16 |
| tournament | 联赛 | liánsài | n. | L21 |
| town | 镇 | zhèn | n. | L14 |
| toxicity | 毒性 | dúxìng | n. | L16 |
| traces | 痕迹 | hénjì | n. | L8 |
| traditional; tradition | 传统 | chuántǒng | a./n. | L5 |
| traffic signal | 红绿灯 | hónglǜdēng | n. | L21 |
| training; train | 训练 | xùnliàn | n./v. | L11 |
| trample on | 践踏 | jiàntà | v. | L20 |
| transform | 改造 | gǎizào | v. | L3 |
| transportation, traffic | 交通 | jiāotōng | n. | L14/21 |
| traumatized, shocking | 惊险 | jīngxiǎn | a. | L9 |
| travel | 旅行 | lǚxíng | v. | L3 |
| treat | 对待 | duìdài | v. | L17 |
| treat | 请客 | qǐngkè | v. | L7 |
| treat, see as | 当 | dāng | v. | L15 |
| trouble | 是非 | shìfēi | n. | L8 |
| trumpet-like wind instrument | 唢呐 | suǒnà | n. | L23 |
| trust, credit | 信用 | xìnyòng | n. | L16 |
| truth | 真理 | zhēnlǐ | n. | L16 |
| Tsing Hua University | 清华 | Qīnghuá | p.n. | L19 |
| tuition | 学费 | xuéfèi | n. | L1 |
| tumble | 栽 | zāi | v. | L8 |
| turn around and look at | 顾★ | gù | v. | L25 |
| turn back | 回转 | huízhuǎn | v. | L25 |
| (TV), computer screen | 屏幕 | píngmù | n. | L24 |
| tycoon | 大亨★ | dàhēng | n. | L24 |
| - type, category | 之类★ | zhīlèi | n. | L21 |
| typewriter | 打字机 | dǎzìjī | n. | L6 |
| typhoon | 台风 | táifēng | n. | L21 |
| typical | 典型 | diǎnxíng | a. | L4 |

## U

| umbrella | 伞 | sǎn | n. | L4 |
|---|---|---|---|---|
| unaware, unconscious | 不自觉 | bùzìjué | a. | L24 |
| unceasing, continuous, incessant | 不断 | búduàn | a. | L5/24 |
| underage, little | 幼小 | yòuxiǎo | a. | L8 |
| undergraduate | 本科 | běnkē | n. | L2 |
| understand, comprehend; comprehension | 理解 | lǐjiě | v./n. | L14/28 |
| understand; understanding | 了解 | liǎojiě | v.n. | L1 |
| understanding and caring | 善解人意 | shànjiěrényì | n. | L4 |
| undeserved target of anger | 出气筒 | chūqìtǒng | n. | L17 |
| unexpectedly | 竟然 | jìngrán | adv. | L7/18 |
| unexpectedly encounter | 巧遇 | qiǎoyù | v. | L7 |
| unfold | 展开 | zhǎnkāi | v. | L8 |

| | | | | |
|---|---|---|---|---|
| unite, unify | 统一 | tǒngyī | *v.* | L19 |
| universal, common | 普遍 | pǔbiàn | *a.* | L23 |
| unmarried | 未婚 | wèihūn | *a.* | L4 |
| unprecedented | 前所未有★ | qiánsuǒwèiyǒu | *a.* | L16 |
| unreasonably high price | 天价 | tiānjià | *n.* | L16 |
| up to | 上 | shàng | *adv.* | L21 |
| up to now | 至今 | zhìjīn | *adv.* | L8 |
| urge | 催 | cuī | *v.* | L8 |
| urge | 催促 | cù | *v.* | L25 |
| Urumqi | 乌鲁木齐 | wūlǔmùqí | *p.n.* | L14 |
| utterly penniless | 一贫如洗 | yīpínrúxǐ | *a.* | L12 |

## V

| | | | | |
|---|---|---|---|---|
| valuable words | 金玉良言 | jīnyùliángyán | *n.* | L12 |
| value | 讲 | jiǎng | *v.* | L16 |
| vegetable | 蔬菜 | shūcài | *n.* | L21 |
| vernacular idioms | 俗语 | súyǔ | *n.* | L13 |
| version; page (of a newspaper) | 版 | bǎn | *n.* | L6/21 |
| very, quite (colloquial usage for "很") | 蛮△ | mán | *adv.* | L19 |
| viewpoint | 观点 | guāndiǎn | *n.* | L20 |
| viewpoint | 看法 | kànfǎ | *n.* | L1 |
| vigorous and graceful | 健美 | jiànměi | *a.* | L4 |
| vigorously, courageously | 奋然 | fènrán | *adv.* | L25 |
| village | 村庄 | cūnzhuāng | *n.* | L9 |
| villages and towns | 乡镇 | xiāngzhèn | *n.* | L14 |
| violence | 暴力 | bàolì | *n.* | |
| virtue | 道德 | dàodé | *n.* | L5 |
| visit (a place) | 参观 | cānguān | *v.* | L14 |
| visit (an organization, institution, etc.) | 访问 | fǎngwèn | *v.* | L2 |
| visit internet, get online | 上网 | shàngwǎng | *v.* | L2 |
| vitality | 活力 | huólì | *n.* | L8 |
| vocabulary terms | 词汇 | cíhuì | *n.* | L6/21 |
| vote | 选票 | xuǎnpiào | *n.* | L20 |
| voter | 选民 | xuǎnmín | *n.* | L20 |

## W

| | | | | |
|---|---|---|---|---|
| waist | 腰 | yāo | *n.* | L25 |
| waiter/waitress | 服务员 | fúwùyuán | *n.* | L7 |
| wake up with a start | 惊醒 | jīngxǐng | *v.* | L25 |
| walk back and forth | 徘徊 | páihuái | *v.* | L25 |
| wall | 墙 | qiáng | *n.* | L10 |
| wallet, fanny pack | 腰包 | yāobāo | *n.* | L16 |
| war situation | 战况 | zhànkuàng | *n.* | L24 |
| (war) situation, state (of affairs) | 局势 | júshì | *n.* | L24 |
| warm | 暖 | nuǎn | *a.* | L20 |
| warship | 军舰 | jūnjiàn | *n.* | L24 |
| wash | 刷 | shuā | *v.* | L24 |
| way of saying things | 说法 | shuō·fa | *n.* | L14 |
| We (including the speaker) | 咱们 | zán·men | *n.* | L1 |
| webpage | 网页 | wǎngyè | *n.* | L6 |
| website | 网址 | wǎngzhǐ | *n.* | L6 |
| weigh down | 压 | yā | *v.* | L18 |
| weight | 体重 | tǐzhòng | *n.* | L4 |

| weight-loss drug | 减肥药 | jiǎnféiyào | n. | L16 |
| well recognized | 公认 | gōngrèn | a. | L7 |
| well-behaved, sedate | 端庄 | duānzhuāng | a. | L4 |
| well-educated, well-behaved, refined | 有教养 | yǒujiàoyǎng | a. | L15 |
| Western medical science; doctor of Western medicine | 西医 | xīyī | n. | L10 |
| wet | 湿润 | shīrùn | a. | L7 |
| whip up public opinion | 制造舆论 | zhìzàoyúlùn | v. | L20 |
| white as the moon | 月白 | yuèbái | a. | L9 |
| white background | 白地★ | báidì | n. | L25 |
| Who are you trying to fool? You liar! | 骗鬼△ | piànguǐ | phr. | L18 |
| who is in the upper hand | 孰优孰劣★ | shúyōushúliè | phr. | L24 |
| wholehearted | 一心一意 | yīxīnyīyì | a. | L1 |
| wild | 野 | yě | a. | L25 |
| wilderness | 野地 | yědì | n. | L25 |
| will | 意志 | yìzhì | n. | L20 |
| will, ambition | 志向 | zhìxiàng | n. | L11 |
| win | 赢 | yíng | v. | L21/24 |
| winter vacation | 寒假 | hánjià | n. | L1 |
| with great difficulty | 勉强 | miǎnqiǎng | adv. | L1 |
| without any difficulty | 毫不困难 | háobùkùn·nan | adv. | L6 |
| Women's Association | 妇联 | fùlián | n. | L5 |
| words of a song | 歌词 | gēcí | n. | L3 |
| worker | 工人 | gōngrén | n. | L19 |
| World War II | 二战 | èrzhàn | n. | L14 |
| worry about; worry | 担心 | dānxīn | v./n | L6 |
| worth less than a penny | 一文不值 | yīwénbùzhí | a. | L12 |
| wound, injury, cut | 伤 | shāng | n. | L15 |
| wound, trauma | 创伤★ | chuāngshāng | n. | L17 |
| wrap | 裹 | guǒ | v. | L25 |
| wrap, catch | 兜 | dōu | v. | L8 |

## Y

| Yang (the brigh side) | 阳 | yáng | n. | L10 |
| yang is excessive while yin is deficient | 阳盛阴虚 | yángshèngyīnxū | phr. | L10 |
| year (of school) | 届 | jiè | m.w. | L7 |
| Yin (the dark side) | 阴 | yīn | n. | L10 |
| young lady | 小姐 | xiǎojiě | n. | L15 |
| your honorable country (polite form) | 贵国★ | guìguó | n. | L20 |

## Z

| Zoo | 动物园 | dòngwùyuán | n. | L20 |
| 1980s: 1980-1989 | 八十年代 | bāshí niándài | n. | L1 |

词表（一英文字母索引）

# 郑 重 声 明